100 escovadas antes de ir para a cama

OBJETIVA

100 escovadas antes de ir para a cama

Melissa Panarello

Tradução de
Eliana Aguiar

OBJETIVA

Título original
100 COLPI DI SPAZZOLA PRIMA DI ANDARE A DORMIRE

EDITORA OBJETIVA LTDA., rua Cosme Velho, 103
Rio de Janeiro – RJ – CEP: 22241-090
Tel.: (21) 2556-7824 – Fax: (21) 2556-3322
www.objetiva.com.br

Capa
Tita Nigrí

Foto de capa
Gabriele Rigon

Revisão
Elaine Bayma
Rita Godoy
Taís Monteiro

Editoração Eletrônica
Abreu's System Ltda.

P111c

Panarello, Melissa

Cem escovadas antes de ir para a cama / Melissa Panarello, tradução de Eliana Aguiar. – Rio de Janeiro : Objetiva, 2004

157 p. ISBN 85-7302-620-0

Tradução de : *100 colpi di spazzola prima di andare a dormire*

1. Literatura italiana – Memórias. 2. Adolescentes – Comportamento sexual. I. Título

CDD 854
155.43

Para Anna

6 de julho de 2000
15h25

Diário,

escrevo no lusco-fusco do meu quarto, forrado de gravuras de Gustav Klint e cartazes de Marlene Dietrich; ela me observa com seu olhar lânguido e altivo enquanto rabisco a folha branca em que se refletem os raios de sol, filtrados apenas pelas frestas das persianas.

Faz calor, um calor tórrido, seco. Ouço o som da televisão ligada no outro quarto e chega a meus ouvidos a vozinha de minha irmã que repete a música de um desenho animado. Lá fora um grilo grita a sua despreocupação e tudo é calmo, ameno dentro dessa casa. Parece que tudo está fechado e protegido por uma redoma de vidro finíssimo e o calor torna os movimentos ainda mais pesados; mas não há calma dentro de mim. É como se um rato estivesse roendo a minha alma, e de uma maneira tão imperceptível que até parece suave. Não estou mal e também não estou bem, a coisa preocupante é que “não estou”. Mas sei me reencontrar: basta levantar os olhos e cruzá-los com o olhar refletido no espelho para que uma calma e uma felicidade tranqüila tomem conta de mim.

Diante do espelho, eu me admiro, extasiada com as formas que vão pouco a pouco se delineando, com os músculos que ganham um contorno mais modelado e seguro, com os seios que começam a aparecer sob as camisetas e se movem suavemente a cada passo. Desde pequena minha mãe, andando inocentemente nua pela casa, habituou-me a observar o corpo feminino. Por isso as formas de uma mulher adulta não são um mistério para mim; porém, como uma floresta inextricável, os pêlos escondem o Segredo e ocultam-no dos olhos. Muitas vezes, sempre com a minha figura refletida no espelho, enfio devagar um dedo e, olhando-me nos olhos, sinto em relação a mim mesma um sentimento de amor e de admiração. O prazer de observar-me é tão grande e tão forte que logo se transforma em um prazer físico que chega com uma sensação inicial de cócegas e termina num calor e num estremecimento novos, que duram poucos segundos. Depois vem a vergonha. Ao contrário de Alessandra, nunca fantasio enquanto me toco; um tempo atrás ela me confidenciou que também se toca e disse que nesses momentos gosta de pensar que é possuída por um homem com força e violência, quase a ponto de machucar. Eu fiquei espantada, pois para me excitar só preciso me olhar; ela me perguntou se eu também me toco, mas respondi que não. Não quero de jeito nenhum destruir esse mundo resguardado que construí para mim: é um mundo só meu, cujos únicos habitantes são o meu corpo e o espelho, e responder que sim à pergunta dela seria como traí-lo.

A única coisa que realmente me faz ficar bem é aquela imagem que contemplo e amo: todo o resto é ficção. São falsas as minhas amizades, nascidas do acaso e crescidas na mediocridade, tão pouco intensas... São falsos os beijos que timidamente dei em alguns meninos da minha escola: mal encosto os lábios, sinto uma espécie de repugnância, e poderia fugir para bem longe dali quando sinto a língua deles se enfiando desajeitada. É falsa essa casa, tão pouco parecida com o estado de espírito que tenho agora. Queria que de repente todos os quadros saltassem das paredes, que pelas janelas entrasse um frio gélido e congelante, que ganidos de cães tomassem o lugar dos cantos dos grilos.

Quero amor, diário. Quero sentir meu coração se derreter e quero ver as estalactites do meu gelo se quebrando e afundando no rio da paixão, da beleza.

8 de julho de 2000
8h30 da noite

Barulheira na rua. Risadas que enchem esse sufocante ar de verão. Imagino os olhos dos jovens da minha idade antes de saírem de casa: acesos, vivos, ansiosos por uma noitada divertida. Vão passar a noite na praia, cantando acompanhados por um violão. Alguém vai se afastar lá para o fundo, onde a escuridão cobre tudo, e sussurrar palavras infinitas no ouvido de outro alguém. Alguém, amanhã, vai nadar no mar aquecido pelo sol matutino, tenebroso guardião de uma vida marinha desconhecida. Eles vão viver e saberão como cuidar da própria vida. OK, tudo bem, eu também respiro, biologicamente está tudo certo comigo... Mas tenho medo. Tenho medo de sair de casa e encontrar olhares desconhecidos. Eu sei, vivo em conflito permanente comigo mesma: tem dias em que estar no meio dos outros me ajuda, e sinto uma irresistível necessidade disso. Em outros, expulso preguiçosamente o gato da minha cama, me deito de barriga para cima e penso... Talvez coloque algum CD, quase sempre música clássica. Sinto-me bem com a cumplicidade da música e não preciso de mais nada.

Mas essa barulheira está me atormentando, sei que nessa noite alguém está vivendo mais que eu. E eu vou ficar dentro desse quarto ouvindo o som da vida, vou escutá-lo até que o sono me abrace.

10 de julho de 2000
10h30

Sabe o que eu acho? Acho que foi uma péssima idéia começar um diário... Eu sei como eu sou, me conheço. Daqui a alguns dias, vou esquecer a chave em algum lugar, ou quem sabe deixarei voluntariamente de escrever, ciumenta demais de meus próprios pensamentos. Ou talvez (coisa nada impossível) aquela indiscreta da minha mãe venha fuçar as folhas e eu vou me sentir estúpida e deixarei de escrever.

Não sei se me faz bem desabafar, mas pelo menos me distraio.

13 de julho
manhã

Diário,

estou feliz! Ontem fui a uma festa com Alessandra, altíssima e esguia em cima dos seus saltos, linda como sempre, e como sempre um pouco grossa nas expressões e nos movimentos. Mas afetuosa e meiga. No começo eu não queria ir, um pouco porque as festas me chateiam e um pouco porque ontem o calor estava tão sufocante que me impedia de fazer qualquer coisa. Mas depois ela implorou para que a acompanhasse e eu acabei indo atrás dela. Chegamos à periferia cantando em cima do *scooter*, andando na direção das montanhas que o calor do verão transformou, de verdes e exuberantes, em secas e murchas. Nicolosi estava toda reunida na praça em grande festa, e no asfalto, que a noite tinha deixado menos quente, havia muitas bancas de doces e frutas secas. A casa ficava no final de uma ruazinha sem iluminação; quando chegamos na frente do portão, ela começou a gesticular como se quisesse cumprimentar alguém e gritou forte: "Daniele! Daniele!".

Ele chegou em passos muito lentos e cumprimentou. Parecia bem bonito, embora a escuridão não me deixasse ver nada direito. Alessandra nos apresentou e ele apertou minha mão frouxamente. Sussurrou bem baixinho o seu nome e eu sorri um pouco, pensando que ele era tímido; de repente notei um brilho bem nítido no escuro: eram os seus dentes, de uma brancura inacreditável. Então, apertando a mão dele mais forte, disse com uma voz um pouco alta demais: "Melissa", e talvez ele nem tenha notado os meus dentes, não tão brancos quanto os seus, mas quem sabe viu também os meus olhos se iluminarem e brilhar. Depois que entramos, me dei conta de que, com a luz, ele parecia ainda mais bonito; eu estava atrás dele e podia ver os músculos das costas se mexendo a cada passo. Eu me senti mínima com meu 1m60 e me senti feia perto dele.

De fato, quando nos sentamos nas poltronas da sala, ele ficou na minha frente bebericando devagar a cerveja e olhando direto nos meus olhos. Naquela hora comecei a sentir vergonha das espinhas na minha testa e da minha pele clara demais comparada com a dele. Seu nariz, reto e bem proporcionado, parecia com o de certas estátuas gregas, e as veias em relevo nas mãos lhe davam uma força notável; os olhos, grandes e azul-escuros, olhavam para mim orgulhosos e maravilhosos. Fez várias perguntas demonstrando, porém, a sua indiferença por mim, o que, em vez de me desencorajar, me deixou mais forte.

Ele não gosta de dançar, nem eu. Assim, ficamos sozinhos enquanto os outros se soltavam, bebiam e riam.

Fez-se um silêncio e eu quis remediar.

— Bonita essa casa, não é? — falei, fingindo segurança.

Ele só sacudiu os ombros e eu não quis ser indiscreta, então fiquei calada.

Depois chegou o momento das perguntas íntimas; quando todos estavam muito ocupados dançando, ele se aproximou ainda mais da minha poltrona e começou a me olhar com um sorriso. Eu estava surpresa e encantada e fiquei esperando um movimento dele: estávamos sozinhos, no escuro, e agora numa proximidade muito favorável. Depois a pergunta:

— Você é virgem?

Fiquei vermelha, senti um nó na garganta e um monte de espinhos espetando a cabeça.

Respondi com um sim tímido que me obrigou imediatamente a desviar o olhar para o outro lado, tentando evitar aquele vexame. Ele mordeu os lábios para reprimir uma gargalhada e limitou-se a tossir um pouco, sem pronunciar uma sílaba. E dentro de mim as censuras eram fortes e violentas: "Agora, nem te levar em conta ele vai! Idiota!", mas no fundo o que eu poderia ter dito? A verdade é essa mesmo, eu sou virgem. Nunca fui tocada por ninguém fora eu mesma, e isso me enche de orgulho. Mas a curiosidade existe, é até bem grande. Em primeiro lugar, a curiosidade de conhecer o corpo masculino nu, coisa que nunca pude fazer: na televisão, quando transmitem cena de nudez, meu pai pega rapidamente o controle remoto e muda de canal. E nesse verão, quando fiquei a noite inteira com um menino florentino que estava de férias aqui, não tive coragem de enfiar a mão no mesmo lugar onde ele já tinha enfiado a dele.

E depois tem a vontade de experimentar um prazer que seja produzido por outra pessoa que não eu, de sentir a pele de alguém contra a minha. Por último, conseguir o privilégio de ser, entre as meninas da minha idade que conheço, a primeira a ter uma relação sexual. Por que ele me fez essa pergunta? Ainda não pensei como vai ser a minha primeira vez e muito provavelmente não vou pensar nunca, só quero vivê-la e, se puder, guardar para sempre uma recordação bonita que vai me acompanhar nos momentos tristes da vida. Acho que poderia ser ele, Daniele, tive uma intuição por algum motivo.

Ontem de noitinha trocamos os nossos números de telefone e esta noite, enquanto dormia, ele me mandou uma mensagem que eu li hoje de manhã: "Eu me senti muito bem com você, você é legal e gostaria de te ver de novo. Por que não vem até a minha casa amanhã, a gente pode tomar um banho de piscina."

19h10

Estou perplexa e nervosa. O impacto daquilo que até umas horas atrás eu desconhecia foi bem repentino, mas não completamente desagradável.

A casa de campo dele é muito linda, cercada por um jardim verdíssimo e por miríades de flores coloridíssimas e frescas. Na piscina azul brilhava o reflexo do sol e a água convidava a um mergulho, mas justamente hoje eu não podia, porque estava menstruada. Debaixo do salgueiro-chorão fiquei olhando os outros mergulhando e brincando, enquanto eu ficava lá sentada na mesinha de bambu, segurando um copo de chá gelado. De vez em quando, ele me olhava sorrindo e eu correspondia feliz. Depois vi que ele subia a escadinha e vinha na minha direção com as gotas d'água escorrendo lentamente pelo seu peito brilhante, sacudindo com uma das mãos os cabelos molhados e espalhando gotinhas pra todo lado.

— Pena que você não está podendo se divertir — disse com uma expressão ligeiramente irônica.

— Não tem problema — respondi —, vou tomar um pouco de sol.

Sem dizer nada, agarrou a minha mão e com a outra pegou o copo e colocou na mesinha.

— Aonde é que a gente vai? — perguntei rindo, mas um pouco temerosa.

Ele não respondeu e me levou até uma porta no alto de uns dez degraus, afastou o capacho e pegou um maço de chaves; enfiou uma delas na fechadura encarando-me ao mesmo tempo com olhos espertos e brilhantes.

— Onde é que você está me levando? — perguntei de novo com o mesmo medo de antes, mas bem escondido.

Mais uma vez, nenhuma resposta, só um leve sinal de riso. Abriu a porta, entrou me arrastando para dentro e fechou-a atrás de mim. No quarto mal iluminado pelas frestas de luz que passavam pelas venezianas e extremamente quente, apoiou-me contra a porta e me beijou com paixão, fazendo-me provar os seus lábios, que tinham gosto de morango e uma cor que também lembrava muito a fruta. Suas mãos estavam apoiadas na porta e os músculos dos braços estavam tensos, dava para senti-los, fortes sob as minhas mãos que o acariciavam e percorriam seu corpo, enquanto umas fagulhas percorriam o meu. Depois segurou meu rosto entre as mãos, afastou-se da minha boca e me perguntou baixinho:

— Você quer?

Mordendo os lábios, respondi que não, porque milhões de medos me invadiram de repente, medos sem nenhum rosto, abstratos. Ele aumentou a pressão das mãos apoiadas no meu rosto e com uma força que, sem conseguir, talvez quisesse traduzir em carinho, empurrou-me cada vez mais para baixo, mostrando bruscamente o Desconhecido. Agora ele estava diante dos meus olhos, com cheiro de homem, e cada veia que o atravessava exprimia tanta potência que achei que devia acertar as contas com essa força. Ele entrou presunçoso entre os meus lábios, lavando o sabor de morango ainda impregnado neles.

Depois, de repente, houve uma outra surpresa, e minha boca se encheu de um líquido quente e ácido, muito abundante e denso. Meu repentino sobressalto devido a essa nova descoberta provocou alguma dor nele, que agarrou minha cabeça com as mãos e a puxou para si com mais força ainda. Eu sentia a sua respiração ofegante e cheguei a pensar por um momento que o calor de seu hálito chegava até mim. Bebi aquele líquido porque não sabia o que fazer com ele, o esôfago fez um barulhinho que me deixou envergonhada. Eu ainda estava de joelhos, quando vi suas mãos descerem e, pensando que ele queria me levantar, sorri, mas ele levantou o calção e eu ouvi o barulho do elástico estalando contra a sua pele molhada de suor. Então me levantei sozinha e olhei-o nos olhos procurando por alguma palavra que me tranqüilizasse e me fizesse feliz.

— Quer beber alguma coisa? — perguntou ele.

Ainda sentindo o sabor ácido do líquido dentro da minha boca, respondi que sim, queria um copo d'água. Ele afastou-se e voltou alguns segundos depois com o copo na mão, enquanto eu continuava apoiada na porta olhando curiosa para o quarto, depois que ele acendeu a luz. Olhava para as cortinas de seda e para as esculturas, e para os vários livros e revistas em cima dos sofás elegantes. Um enorme aquário projetava suas luzes brilhantes nas paredes. Ouvia rumores provenientes da cozinha e dentro de mim não tinha nenhuma aflição ou vergonha, mas um estranho contentamento. Só depois a vergonha tomou conta de mim quando ele, com um gesto indiferente, estendeu o copo para mim. Eu perguntei:

— Mas é assim mesmo que se faz?

— É! — respondeu ele com um sorriso sarcástico que mostrava todos os seus lindíssimos dentes. Então sorri de volta e o abracei. Enquanto sentia o cheiro da sua nuca, percebi as suas mãos atrás de mim agarrando a maçaneta e abrindo a porta.

— A gente se vê amanhã — disse ele, e depois de um beijo, que para mim foi doce, desci para encontrar os outros.

Alessandra olhou para mim rindo e eu esbocei um sorriso que logo desapareceu quando abaixei a cabeça: eu estava com lágrimas nos olhos.

29 de julho de 2000

Diário,

já tem mais de duas semanas que eu freqüento a casa de Daniele e me sinto muito ligada a ele. É verdade que o jeito dele comigo é meio brusco e da sua boca nunca saiu um elogio ou uma palavra doce: só indiferença, insultos e risadas provocantes. E, no entanto, essa maneira de agir me deixa ainda mais obstinada. Tenho certeza de que a paixão que tenho dentro de mim vai conseguir que ele seja completamente meu, e ele logo vai perceber isso. Nas tardes quentes e monótonas desse verão, fico pensando em seu sabor, no frescor de sua boca de morango, nos músculos firmes e vibrantes como grandes peixes vivos. E quase sempre me toco e tenho orgasmos estupendos, intensos e cheios de fantasia. Sinto uma enorme paixão dentro de mim, eu a sinto batendo debaixo da minha pele porque ela quer sair, jogar para fora toda a sua potência. Tenho uma vontade louca de fazer amor e faria agora mesmo, e continuaria durante dias e dias, até que a paixão estivesse toda fora, finalmente livre. Mas já sei de antemão que nem assim eu ficarei saciada, logo depois vou absorver de volta tudo o que espalhei fora de mim, para depois abandonar tudo de novo em um ciclo sempre igual, sempre emocionante.

1º de agosto de 2000

Ele me disse que eu não sei fazer, que sou pouco passional. Disse isso com o sorriso zombeteiro de sempre e eu fui embora aos prantos, humilhada pela resposta dele. Estávamos na rede do jardim, a cabeça dele apoiada em minhas pernas e eu acariciando bem devagarinho os seus cabelos e olhando seus cílios nos olhos de menino. Passei um dedo sobre seus lábios molhando um pouco a ponta, ele acordou e me olhou com uma expressão de dúvida.

— Eu quero fazer amor, Daniele — falei de uma só vez, com o rosto pegando fogo.

Ele riu tão alto e tanto que perdeu o fôlego.

— Qual é, menina! O que é que você quer fazer? Você não sabe nem me chupar!

Eu fiquei olhando para ele perplexa, humilhada, queria sumir na terra daquele jardim tão bem cuidado e apodrecer lá embaixo com os seus pés me pisando para toda a eternidade. Fugi dali, gritando para ele: "Babaca! Babaca!". Bati o portão violentamente e liguei o *scooter* para ir embora com a alma destruída e o orgulho abalado.

Diário, é tão difícil assim se deixar amar? Eu pensei que não fosse necessário beber da poção dele para garantir o seu amor, que tinha necessariamente que me entregar a ele por inteiro e, agora que tinha resolvido, agora que estava com vontade, ele debocha de mim e me expulsa daquela maneira! O que fazer? Falar com ele sobre o meu amor nem pensar. Bem, eu ainda posso provar que sou capaz de fazer aquilo que ele não espera que eu faça, sou muito teimosa. Vou conseguir.

3 de dezembro de 2000
22h50

Hoje é o dia do meu aniversário, faço 15 anos. Lá fora faz frio e choveu forte de manhã. Vieram alguns parentes aqui em casa que, aliás, eu não recebi muito bem. Meus pais, sem graça, vieram reclamar depois que eles foram embora.

O problema é que os meus pais só vêem aquilo que eles estão a fim de ver. Quando estão mais animados, participam das minhas alegrias e se mostram afetuosos e compreensivos. Quando estão tristes, ficam afastados e me evitam como se eu tivesse uma doença contagiosa. Minha mãe diz que eu sou uma mosca-morta, que ouço música de cemitério e que minha única diversão é me fechar no quarto para ler (isso ela não diz, mas eu percebo pelo olhar dela...). Meu pai não sabe de nada sobre o modo como passo os meus dias, e eu não tenho nenhuma vontade de contar para ele.

O que me falta é amor, é de um cafuné que eu preciso, é um olhar sincero que eu desejo.

Na escola também foi um dia infernal: tirei dois "insuficiente" (não tenho vontade de estudar) e tive que apresentar o trabalho de latim. Daniele não sai da minha cabeça, o dia inteiro, da manhã à noite, e ocupa até os meus sonhos; não posso contar pra ninguém o que sinto por ele, ninguém entenderia, tenho certeza.

Durante o trabalho, a sala de aula estava silenciosa e escura porque faltou luz. Deixei Aníbal atravessar os Alpes e deixei que os intrépidos gansos do Capitólio esperassem por ele. Desviei o olhar para as janelas com os vidros embaçados e vi minha imagem refletida, opaca e desfocada: sem amor um homem não é nada, diário, não é nada... (e eu não sou uma mulher...).

25 de janeiro de 2001

Hoje ele faz 19 anos. Assim que acordei peguei o celular e o bip-bip das teclas ecoou por todo o quarto; mandei uma mensagem de parabéns, mas sei que ele não vai responder, nem dizer obrigado, talvez dê uma boa risada quando ler. E não vai se segurar quando ler a última frase que escrevi: "Te amo, e isso é tudo que conta."

4 de março de 2001
7h30

Passou um tempão desde a última vez que escrevi e quase nada mudou. Passei todos esses meses me arrastando, carregando nos ombros a minha incapacidade de me adaptar ao mundo; só vejo mediocridade ao meu redor e só a idéia de sair já faz com que eu me sinta mal. Para ir aonde? Com quem?

Nesse meio tempo, meus sentimentos por Daniele aumentaram. Agora sinto que o desejo de fazer com que ele finalmente seja meu está explodindo.

Nunca mais nos vimos desde aquela manhã em que fui embora da casa dele chorando e só ontem um telefonema dele rompeu a monotonia que me acompanhou esse tempo todo. Espero tanto que ele não tenha mudado, que tudo nele tenha ficado igual ao que era naquela manhã em que travei conhecimento com o Desconhecido.

Ouvir sua voz despertou-me de um longo e pesado sono. Perguntou como eu ia, o que tinha feito naqueles meses e depois, rindo, perguntou se meu peito tinha crescido e eu respondi que sim, embora não seja verdade. Depois de ter usado todas as palavras de praxe, eu disse a mesma coisa que tinha dito naquela manhã, isto é, que eu estava com vontade de transar. Naqueles meses a vontade tinha se tornado torturante; eu me toquei como uma louca, e tive milhares de orgasmos. O desejo tomava conta de mim até durante as aulas, e nessas horas, segura de que ninguém estava me olhando, apoiava o meu Segredo no pedestal de ferro do banco e fazia uma leve pressão com o corpo.

Estranhamente, ontem ele não riu de mim, pelo contrário, ficou em silêncio enquanto eu confessava minha vontade e disse que não tinha nada de estranho, que era justo que eu tivesse certos desejos.

— Aliás — disse ele —, como eu já te conheço faz um tempinho, posso te ajudar a realizá-los.

Eu suspirei e sacudi a cabeça:

— Em oito meses uma menina pode mudar e compreender certas coisas que não entendia antes. Daniele, é melhor você dizer logo que não tinha ninguém disponível e que de repente (e finalmente, pensei comigo) se lembrou de mim — estourei.

— Você está completamente maluca! Vou desligar, não tem sentido ficar falando com uma pessoa que nem você.

Com medo de que ele batesse outra vez a porta na minha cara, respondi submissa com um não implorante e depois:

— Está certo, tudo bem. Desculpe.

— Bem, estou vendo que você ainda consegue raciocinar... tenho uma proposta para você — disse ele.

Curiosa pra saber o que ele ia dizer, pedi de maneira infantil que ele falasse logo e ele disse que faria o que eu queria, mas só se não houvesse nada entre nós além de uma história de sexo e que a gente só se procurasse quando sentisse vontade. E eu pensei que, a longo prazo, também uma história só de sexo pode se transformar em história de amor e afeto. Mesmo que não aconteça no início, vai acontecer com o costume. Eu me dobraria à sua vontade, desde que ele realizasse os meus caprichos: seria a sua pequena amante com prazo de vencimento; quando ele cansasse, poderia me dispensar sem problema. Vista dessa maneira, a minha primeira vez podia parecer um verdadeiro contrato, só ficava faltando um documento escrito para carimbar e selar um acordo entre uma criatura muito esperta e uma criatura muito curiosa e desejosa, que aceitou o pacto de cabeça baixa e com o coração que por pouco não explodia.

Mas espero que corra tudo bem, porque essa lembrança eu quero conservar dentro de mim para sempre e quero que seja bonita, luminosa, poética.

15h18

Sinto meu corpo arrasado e pesado, inacreditavelmente pesado. É como se alguma coisa muito grande tivesse caído em cima de mim e me esmagado. Não me refiro à dor física, mas a uma dor diferente, por dentro. Dor física eu não senti nem quando estava por cima...

Hoje de manhã peguei meu *scooter* na garagem e fui até a casa dele no centro. Ainda era bem cedo, metade da cidade dormia e as ruas estavam quase vazias; de vez em quando algum caminhoneiro buzinava forte e gritava um elogio. Eu sorria um pouco porque pensava que os outros estavam percebendo a minha alegria, que me deixa mais bonita e luminosa.

Quando cheguei na frente da casa, olhei o relógio e me dei conta de que estava tremendamente adiantada. Me sentei no *scooter*, abri a pasta e peguei o livro de grego para repassar a lição que deveria ter feito na aula dessa manhã (se meus professores soubessem que matei aula para ir pra cama com um menino!). Mas eu estava ansiosa e folheava e voltava a folhear o livro sem conseguir ler uma palavra, sentia o coração pulsando rápido, sentia o sangue escorrer velocíssimo dentro das minhas veias, debaixo da pele. Larguei o livro e fui me olhar no espelhinho do *scooter*. Pensei que ele ia adorar os meus óculos cor-de-rosa em forma de gota e que o poncho preto nos meus ombros ia deixá-lo de boca aberta; sorri mordendo os lábios e me senti orgulhosa de mim mesma. Faltavam só cinco para as nove. Não seria nenhum drama se eu tocasse a campainha um pouco adiantada.

Logo depois de ter interfonado, eu o vi de relance atrás da janela, sem camisa. Ele levantou a persiana e disse com uma cara e um tom duros, irônicos:

— Faltam cinco minutos, fica aí esperando, eu te chamo às nove em ponto.

Naquele momento, eu ri estupidamente, mas agora, pensando na história, acho que era uma mensagem esclarecendo quem é que decidia as regras do jogo e quem tinha que respeitá-las.

Ele apareceu na varanda e disse:

— Você já pode entrar.

Nas escadas senti cheiro de xixi de gato e de flores apodrecidas, ouvi uma porta abrir e subi os degraus de dois em dois, porque não queria atrasar nada. Ele tinha deixado a porta aberta e eu entrei chamando baixinho por ele; ouvi uns barulhos na cozinha e fui naquela direção, ele veio a meu encontro e me parou com um beijo na boca, rápido, mas ótimo, que me fez recordar o seu gosto de morango.

— Vai por ali, eu chego em um segundo — disse indicando o primeiro quarto à direita.

Entrei no quarto dele, completamente bagunçado, era evidente que tinha acordado há pouco, junto com seu dono. Na parede, umas placas de carro americanas, cartazes de mangá e várias fotos de suas viagens. Na mesinha-de-cabeceira, uma foto dele quando criança que eu toquei devagarinho com um dedo. Atrás de mim, ele deitou a moldura dizendo que não era para eu olhar.

Agarrou-me pelos ombros e me fez girar, examinou-me atentamente e exclamou:

— Mas que porra de roupa é essa?!

— Vá se foder, Daniele! — respondi, mais uma vez magoada.

O telefone tocou e ele saiu do quarto para atender; eu não conseguia ouvir direito o que ele estava dizendo, só uns pedaços de palavras e risinhos sufocados. Mas numa hora eu ouvi:

— Espera aí. Vou lá olhar e já te digo.

Enfiou a cabeça pela porta e olhou para mim. Voltou para o telefone e disse:

— Está em pé perto da cama com a mão no bolso. Agora eu vou comer ela e depois te conto. Tchau!

Voltou com uma cara sorridente e eu respondi com um sorriso nervoso.

Sem dizer nada, ele abaixou as persianas e fechou a porta do quarto a chave; olhou-me por um instante e abaixou as calças, ficando de cueca.

— E então, o que você está fazendo vestida? Tira a roupa, né? — disse com uma careta no rosto.

Ficou rindo enquanto eu tirava a roupa. Quando fiquei completamente nua, ele falou inclinando um pouco a cabeça:

— É, até que você não é tão ruim assim. Acabei fazendo um acordo com uma gata...

Dessa vez eu não ri, estava nervosa, olhava para meus braços brancos e imaculados que brilhavam com os raios que passavam pela janela. Ele começou a me beijar no pescoço e foi descendo mais pra baixo, até os seios e depois até o Segredo, onde o Letes* tinha começado a correr.

* O Letes é um dos cinco rios do Inferno, cujas águas dão aos mortos que dela bebem o esquecimento da vida terrena. (N. da T.)

— Por que você não se depila? — sussurrou ele.

— Porque não — falei com o mesmo volume de voz —, eu prefiro assim.

Abaixando a cabeça, eu podia ver a sua excitação e então perguntei se ele queria começar.

— Como é que você quer fazer? — perguntou ele sem perder tempo.

— Sei lá, fala você... eu nunca fiz antes — respondi com um pouquinho de vergonha.

Deitei na cama desfeita e nos lençóis frios. Daniele deitou por cima de mim, olhou direto dentro dos meus olhos e disse:

— Fica por cima.

— Não vai me machucar se eu ficar por cima? — perguntei com um tom que era quase uma censura.

— Não tem importância! — exclamou sem me olhar.

Montei em cima dele e deixei que sua haste mirasse bem no centro do meu corpo. Senti um pouco de dor, mas nada de terrível. Aliás, senti-lo dentro de mim também não provocou aquela loucura que eu estava esperando. O sexo dele dentro de mim só provocava queimação e incômodo, mas agora eu tinha que ficar grudada nele daquela maneira.

Nem um gemido saiu dos meus lábios, mas dei um sorriso. Querer que ele soubesse da minha dor seria expressar os sentimentos que ele não queria conhecer. Ele quer usar o meu corpo, não quer conhecer minha luz.

— Calma, menina, não vou te machucar — disse.

— Fica tranqüilo, não estou com medo. Você não quer ficar por cima? — pedi com um leve sorriso. Ele concordou com um suspiro e se jogou por cima de mim.

— Está sentindo alguma coisa? — perguntou quando começou a se mexer devagarinho.

— Não — respondi, pensando que ele estava falando da dor.

— Como não? Será a camisinha?

— Sei lá — continuei —, não estou sentindo nenhuma dor.

Ele me olhou desgostoso e disse:

— Mas você não é virgem, porra!

Eu não respondi logo, olhando-o embasbacada:

— Como não? Desculpe, como assim?

— Com quem você transou, hein? — perguntou, enquanto se levantava apressado, catando as roupas pelo chão.

— Com ninguém, juro! — disse bem alto.

— Bem, por hoje é só.

O resto é inútil contar, diário. Fui embora sem coragem nem pra chorar ou gritar, só com uma tristeza infinita apertando meu coração e devorando-o bem devagar.

6 de março de 2001

Hoje minha mãe olhou pra mim com olhos curiosos e perguntou com um tom imponente em que eu andava pensando tanto naqueles dias.

— Na escola — respondi com um suspiro —, estou cheia de trabalhos.

Meu pai continuava a enrolar o espaguete no garfo, levantando os olhos para poder ver melhor o telejornal com as últimas reviravoltas da política italiana. Enxuguei a boca na toalha, manchando-a de molho; escapei correndo da cozinha enquanto minha mãe continuava a berrar que eu não tenho respeito por nada nem ninguém, que na minha idade ela já era responsável e, em vez de sujar, já lavava as toalhas.

— Tá bom, tá bom — gritava eu do outro quarto. Desfiz a cama e enfiei-me debaixo das cobertas, molhando os lençóis com minhas lágrimas.

O cheiro de amaciante misturava-se com o odor estranho do muco que escorria do meu nariz, que enxuguei com a palma da mão, secando também as lágrimas. Fiquei olhando o retrato pendurado na parede que um pintor brasileiro tinha feito de mim em Taormina, um tempo atrás. Ele tinha me parado na rua quando eu passei, dizendo:

— Você tem um rosto tão bonito, deixa eu te desenhar. Eu faço de graça, sério...

E enquanto seu lápis traçava linhas sobre a folha, seus olhos brilhavam e sorriam no lugar da boca que, ao contrário, permanecia fechada.

— Por que você acha que eu tenho um rosto bonito? — perguntei enquanto posava.

— Porque ele exprime beleza, candura, inocência e espiritualidade — respondeu ele com gestos largos da mão.

Embaixo das cobertas, voltei a pensar nas palavras do pintor e depois na manhã anterior, quando perdi aquilo que o velho brasileiro tinha achado de tão especial em mim. Perdi entre uns lençóis frios demais e as mãos de alguém que devorou o próprio coração, que já não bate mais. Morto. Eu pelo menos tenho um coração, diário, mesmo que ele não perceba, mesmo que ninguém nunca perceba. E antes de abri-lo, vou entregar meu corpo a qualquer homem por dois motivos: porque, saboreando-me, talvez ele sinta o sabor da raiva e da amargura e por isso pode sentir um pouco de ternura, e depois porque vai se apaixonar pela minha paixão até não poder mais passar sem ela. Só depois disso é que me entregarei completamente, sem enrolação, sem obrigações, para que nada daquilo que eu sempre desejei se perca. Vou apertá-lo entre os meus braços e farei com que cresça como uma flor rara e delicada, atenta para que um sopro de vento não o estrague de repente, juro.

9 de abril de 2001

Os dias estão melhores, a primavera este ano explodiu sem meias-medidas. Um belo dia, acordei com as flores desabrochadas e o ar mais quente, enquanto o mar recolhia o reflexo do céu, tornando-se intensamente azul. Como todo dia de manhã, pego o *scooter* para chegar à escola; o frio ainda é penetrante, mas o sol promete no céu que mais tarde a temperatura vai subir. Destacam-se no mar os Rochedos que Polifemo jogou contra Ninguém, depois que este o cegou.* Estão enterrados no fundo do

* Referência ao episódio narrado no livro IX da *Odisséia* de Homero: Ninguém é o nome que Ulisses dá ao ciclope Polifemo, de modo que este, cujo olho Ulisses furou enquanto dormia, ao pedir auxílio a outros ciclopes, diz a eles que ninguém o atacou, e não obtém ajuda (Homero, *Odisséia*, tradução de Odorico Mendes, Editora Martin Claret: São Paulo, 2003). (N. da T.)

mar, sabe-se lá há quanto tempo, e nem as guerras, nem os terremotos, nem sequer as violentas erupções do Etna conseguiram afundá-los. Eles se erguem imponentes sobre a água, e minha cabeça pensa em quanta mediocridade e quanta pequenez podem existir nesse mundo. Nós falamos, nos movemos, comemos, realizamos todas as ações que para um ser humano são obrigatórias, mas, ao contrário dos Rochedos, não estamos sempre no mesmo lugar, do mesmo modo. Nós deterioramos, diário, as guerras nos matam, os terremotos nos destroem, a lava nos engole e o amor nos trai. E nem somos imortais: mas talvez isso seja um bem, não?

Ontem os rochedos de Polifemo ficaram nos olhando enquanto ele se movia convulsivamente sobre o meu corpo, não dando a mínima para meus arrepios de frio e para os meus olhos olhando para longe, para o reflexo da lua na água. Fizemos tudo em silêncio, como sempre, da mesma forma, toda vez. O rosto dele afundado atrás dos meus ombros e o seu hálito no meu pescoço, não quente, frio. Sua saliva molhava cada centímetro da minha pele como se uma lesma lenta e preguiçosa deixasse um rastro viscoso. E sua pele já não lembrava a pele dourada e suada que eu beijei numa manhã de verão; seus lábios não tinham mais gosto de morango, não tinham sabor algum. No momento de me oferecer a sua poção secreta, ele emitiu o costumeiro arquejo de prazer, cada vez mais parecido com um grunhido. Afastou-se do meu corpo e estendeu-se na toalha ao lado da minha, suspirando como se estivesse se livrando de um peso insuportável. Apoiando o corpo de um lado, observei as curvas de suas costas, admirando; esbocei uma lenta aproximação da mão, mas retirei o gesto de repente, com medo da reação dele. Continuei a olhar para ele e para os rochedos durante muito tempo, um olho nele, outro neles; depois, deslocando o olhar, percebi a lua no meio do caminho e olhei para ela encantada, semicerrando os olhos para focar melhor sua redondeza e sua cor indefinível.

Girei de repente, como se tivesse subitamente compreendido alguma coisa, um mistério antes inatingível:

— Eu não te amo — sussurrei baixinho, como para mim mesma.

Não tive nem o tempo de pensar.

Ele se virou devagar, abriu os olhos e perguntou:

— O que foi que você disse?

Fiquei olhando para ele com o rosto parado, imóvel, e com voz mais alta disse:

— Eu não te amo.

Ele franziu a testa, e suas sobrancelhas se juntaram. Então ele gritou:

— Mas quem te perguntou alguma coisa, porra?

Ficamos em silêncio e ele se virou de novo de costas; ao longe ouvi fecharem a porta de um carro e depois as risadinhas de um casalzinho. Daniele se virou na direção deles e, incomodado, foi dizendo:

— Que merda que eles querem?... Por que não vão trepar em outro lugar e me deixam dormir em paz?

— Talvez eles também tenham o direito de trepar onde quiserem, não? — falei observando o brilho do esmalte transparente sobre as unhas.

— Olha só, gatinha... você não tem nada que dizer o que os outros podem ou não podem fazer. Sou eu que decido, sempre eu, até sobre você, sempre fui eu quem decidiu e sempre vou ser eu.

Enquanto ele falava, eu me virei, incomodada, estendendo-me na toalha úmida; ele me sacudiu os ombros com raiva, fazendo sons indecifráveis entre os dentes. Eu não me mexi, todos os músculos do meu corpo estavam parados.

— Você não pode me tratar assim! — gritava ele. — Não pode se lixar pra mim... quando eu falo, você tem que ouvir e não se atreva a virar de costas outra vez, entendeu?

Então eu girei de repente, agarrei os pulsos dele e senti como eram fracos sob as minhas mãos. Senti pena dele, senti meu coração apertado.

— Eu ficaria horas e horas te ouvindo se você falasse comigo, se você me desse uma chance — falei mansamente.

Vi e senti seu corpo se relaxando, seus olhos se apertando e se voltando para baixo.

Ele estava aos prantos e cobriu o rosto com as mãos de vergonha; depois se deitou novamente sobre a toalha, e com as pernas encolhidas parecia mais ainda um menino indefeso e inocente.

Dei-lhe um beijo no rosto, dobrei a toalha silenciosa e atentamente, recolhi todas as minhas coisas e fui andando devagar até o casalzinho. Estavam abraçados, cada um dava um cheiro no pescoço do outro; fiquei parada um tempinho olhando e no meio do leve rumor das ondas do mar ouvi um "eu te amo" sussurrado.

Eles me levaram até em casa, eu agradeci pedindo desculpas pela interrupção, mas eles me tranqüilizaram, dizendo que estavam felizes em poder ajudar.

Agora, diário, estou me sentindo culpada. Deixei-o na praia úmida chorando lágrimas duras e penalizadas, fui embora como uma covarde e deixei que ele se ferisse. Mas fiz tudo isso por ele, e por mim também. Muitas vezes ele me deixou chorar e, em vez de me abraçar, me mandou embora rindo de mim; agora não vai ser nenhum drama para ele ficar sozinho. E para mim também não.

30 de abril de 2001

Estou feliz, feliz, feliz! Não aconteceu nada para que ficasse assim, mas estou. Ninguém nunca me telefona, ninguém me procura e no entanto eu transpiro alegria por todos os poros, estou tão contente que nem parece verdade. Expulsei todas as paranóias, não sinto mais a ansiedade de esperar por um telefonema dele, nem mais aquela angústia de senti-lo se descarregando em cima de mim sem dar a mínima para o meu corpo e para mim. Não preciso mais contar mentiras para minha mãe quando, voltando sabe-se lá de onde, ela me perguntava onde é que eu tinha estado. E eu respondia pontualmente com alguma babaquice: no centro bebendo uma cerveja, no cinema ou no teatro. E antes de adormecer fantasiava pensando o que teria feito se tivesse ido realmente àqueles lugares. Teria me divertido, com certeza, teria conhecido gente, teria tido uma vida que não fosse apenas escola, casa e sexo com Daniele. E agora eu quero essa outra vida, não importa quanto tempo seja preciso, agora eu quero alguém que se interesse por Melissa. A solidão talvez esteja me destruindo, mas já não me dá medo. Eu sou a melhor amiga de mim mesma, eu nunca iria me trair, me abandonar. Mas talvez me machucasse, me machucar talvez sim. E não porque isso me dê prazer, mas porque quero me punir de alguma maneira. Mas como é que faço para me amar e me punir ao mesmo tempo? É uma contradição, diário, eu sei. Mas nunca o amor e o ódio estiveram tão perto, tão cúmplices, tão dentro de mim.

7 de julho de 2001
12h38 da noite

Hoje eu o vi de novo e, mais uma vez, espero que seja a última, ele tripudiou dos meus sentimentos. Tudo começou como sempre, e acabou da mesma maneira. Eu sou uma estúpida, diário, não deveria ter permitido que ele se aproximasse outra vez.

5 de agosto de 2001

Acabou, para sempre. E fico feliz em dizer que eu não acabei, pelo contrário, estou recomeçando a viver.

11 de setembro de 2001
15h25

Talvez Daniele esteja vendo as mesmas imagens na TV, as mesmas que estou vendo.

28 de setembro de 2001
9h10

A escola começou faz pouco e já se respira o clima de greves, passeatas e assembléias, sempre com os mesmos argumentos. Posso imaginar os rostos vermelhos do pessoal que gosta de se reunir sem fazer nada em confronto com o pessoal que prefere partir para a ação. Vai começar daqui a algumas horas a primeira assembléia desse ano e o tema vai ser a globalização. Nesse momento estou numa hora de aula extra, atrás de mim estão umas colegas que falam do visitante que vai dirigir a assembléia hoje de manhã. Dizem que é uma figura interessante, com uma carinha de anjo e uma inteligência aguda, e riem quando uma delas diz que a inteligência aguda lhe interessa muito pouco, interessa bem mais o rosto de anjo. Essas que estão falando são as mesmas que alguns meses atrás falaram mal de mim por aí, porque eu tinha dado para um cara que nem era meu namorado: eu tinha confiado numa delas. Contei tudo sobre o Daniele e eu, e ela me abraçou com um "sinto muito" claramente falso.

— Por quê, você não daria para um cara assim? — pergunta a mesma de antes para uma outra.

— Não, eu o violentaria até contra a vontade dele — responde a outra rindo.

— E você, Melissa? — pergunta-me ela. — O que você faria?

Eu me virei e disse que não o conheço e que não tenho vontade de fazer nada. Posso ouvi-las rindo, e as risadas delas se confundem com o som metálico e estridente do sinal que indica o fim da aula.

16h35

No palco montado para a assembléia, não prestei atenção nas roletas de metrô caídas nem nos McDonald's incendiados, embora tenha sido escolhida para fazer a ata do encontro. Na longa mesa, eu fiquei no centro, a meu lado os visitantes das diversas facções. O carinha do rosto angelical estava sentado ao meu lado, na boca uma caneta que ele mordiscava de forma indecente. E, enquanto o direitóide convicto brigava com o esquerdóide obstinado, meus olhos observavam a esferográfica azul encaixada entre os dentes dele.

— Põe o meu nome na lista das inscrições — disse ele a certa altura, com o rosto voltado para as próprias anotações.

— E qual é o seu nome?

— Roberto — disse, dessa vez olhando para mim, surpreso que eu não soubesse seu nome.

Levantou-se para falar e seu discurso era forte e envolvente. Fiquei observando enquanto ele se movia com desenvoltura com o microfone e a caneta na mão: a platéia atentíssima sorria com suas tiradas irônicas que conseguiam atingir o ponto certo. Ele estuda Direito, pensei, é normal que tenha certas habilidades de oratória; notava que de vez em quando ele se virava para me olhar e eu, um pouco maliciosamente, mas de maneira natural, abri a camisa descobrindo o colo até onde os seios brancos se encontravam. Talvez ele tenha percebido o meu gesto e, de fato, começou a se virar com maior freqüência e, com um jeito meio tímido, meio curioso, me lançava uns olhares, pelo menos foi o que me pareceu. Quando acabou o discurso, ele se sentou e recolocou a caneta na boca, não dando a mínima para os aplausos que lhe dirigiam. Em seguida, virou-se para mim, que nesse meio tempo tinha recomeçado a anotar, e disse:

— Não me lembro do seu nome.

Fiquei com vontade de brincar:

— Eu ainda não te disse — respondi.

Ele mexeu a cabeça para cima de leve e disse:

— Ah, é!

Vi que ele recomeçava a fazer suas anotações, enquanto eu meio que sorria, contente ao ver que ele estava esperando que eu dissesse meu nome.

— E você não quer me dizer? — perguntou examinando atentamente o meu rosto.

Eu sorri inocentemente:

— Melissa — falei.

— Hum... o seu nome vem das abelhas. Você gosta de mel?

— Doce demais — respondi —, prefiro os sabores mais fortes.

Ele sacudiu a cabeça, sorriu e continuamos a escrever cada um por sua própria conta. Depois de um tempo, ele se levantou para fumar e eu pude vê-lo rindo e gesticulando animadamente com um outro cara, ele também muito bonito, e me olhando de vez em quando, sorrindo com o cigarro mordido na boca. De longe, ele parecia mais magro e alto e seus cabelos pareciam macios e perfumados, cachinhos cor de bronze que caíam suavemente no rosto. Ele estava apoiado no poste de luz transferindo todo o peso para o quadril, e parecia que o estava puxando com a mão enfiada no bolso, uma camisa xadrez verde balançava para fora da calça desarrumada e os óculos redondos completavam o ar de intelectual. O amigo dele, que eu já tinha visto várias vezes fora da escola distribuindo panfletos, está sempre com uma cigarrilha na boca, acesa ou não.

Quando a assembléia acabou, fiquei recolhendo as folhas espalhadas pela mesa, que precisava juntar às minhas anotações. Roberto se aproximou e apertou a minha mão, cumprimentando-me com um largo sorriso.

— Até a próxima, companheira!

Comecei a rir e confessei que ser chamada de companheira me agrada, é divertido.

— Vamos, vamos! O que estão fazendo aí de conversa fiada? Não viram que a assembléia já acabou? — disse o vice-diretor batendo as mãos.

Hoje estou feliz, tive esse belo encontro e espero que não acabe assim. Sabe, diário, eu insisto muito quando quero conseguir alguma coisa. Agora quero o telefone dele e tenho certeza de que vou conseguir. Depois do telefone, quero aquilo que você já sabe, ou seja, ocupar um espaço no meio dos pensamentos dele. Mas antes você sabe muito bem o que eu tenho que dar...

10 de outubro de 2001
17h15

Hoje o dia está úmido e triste, o céu cinza, e o sol virou uma mancha pálida e desfocada. De manhã choveu pouco e suavemente, mas agora falta um nada para que os raios se soltem de suas correntes. Mas não me importa o tempo, estou felicíssima.

Na saída da escola, os urubus de sempre, que querem vender algum livro ou convencer com algum panfleto, indiferentes até à chuva. Coberto pelo impermeável verde e com a cigarrilha na boca, o amigo de Roberto distribuía folhetos vermelhos com um sorriso estampado no rosto. Quando se aproximou para me entregar um, fiquei olhando paralisada, não sabia o que fazer, como me comportar. Sussurrei um tímido obrigada e continuei a andar bem devagarinho, pensando que uma ocasião como essa não iria me acontecer de novo tão cedo. Escrevi meu telefone na folha e, dando meia-volta, entreguei para ele.

— O que é isso? Está devolvendo em vez de jogar fora como fazem os outros? — perguntou sorridente.

— Não, quero que entregue pro Roberto — disse.

Espantado, ele exclamou:

— Mas o Roberto recebe centenas desses folhetos.

Mordi os lábios e disse:

— Tem uma coisa escrita nele que o Roberto vai gostar de ver...

— Ah, entendi... — disse ele ainda mais surpreso. — Pode ficar tranqüila, quando encontrar com ele, eu entrego.

— Muito obrigada! — falei com vontade de dar um beijo estalado em suas bochechas.

Estava indo embora, quando ouvi meu nome. Virei e lá estava ele, que voltava correndo.

— De qualquer forma, eu me chamo Pino, prazer. Você é a Melissa, não é? — perguntou ele ofegante.

— É, Melissa... pelo visto, você não demorou muito para ler atrás da folha.

— Bem, o que se pode fazer... — disse ele sorrindo — a curiosidade é própria dos inteligentes. Você é curiosa?

Fechei os olhos e falei:

— Muitíssimo.

— Está vendo? Então é inteligente também.

Alimentado o meu ego e cheia de felicidade, me despedi e fui em direção à pracinha, ponto de encontro bem na frente da escola, meio deserta por conta do tempo ruim. Fiz um pouco de hora para pegar o *scooter*, o trânsito na hora do *rush* é horrível até para quem tem um. Alguns minutos depois, tocou o celular.

— Alô?

— É... oi, é o Roberto.

— Oooi, tudo bem?

— Foi uma surpresa, sabe?

— Eu gosto de ousar. Você poderia não ligar, eu corria o risco de acabar com a porta na cara.

— Você fez muito bem. Eu ia mesmo te pedir um dia desses. Só que, sabe como é... minha namorada estuda no mesmo colégio que você...

— Ah, você tem namorada...

— Tenho, mas... não tem importância.

— Eu também não me importo.

— E aí, por que me procurou?

— E você, por que me procurou?

— Bom, eu perguntei primeiro.

— Porque quero te conhecer melhor e passar um tempo com você...

Silêncio.

— Agora é a sua vez.

— Idem. Mas a condição você já sabe, eu já tenho namorada.

— Eu acredito muito pouco nos compromissos, eles deixam de existir quando deixamos de acreditar neles.

— Tudo bem pra você a gente se encontrar amanhã de manhã?

— Não, amanhã não. Tenho aula. Sexta-feira, que tem greve. Onde?

— Na frente do restaurante universitário às dez e meia.

— Vou estar lá.

— Então, tchau, até sexta.

— Até sexta, um beijo.

14 de outubro de 2001
17h30

Cheguei, como sempre, adiantadíssima, o tempo continuava igual ao de quatro dias atrás, uma monotonia incrível.

Do restaurante vinha um cheiro de alho e, no lugar em que estava, eu podia ouvir o barulho das cozinheiras com as panelas e fofocas de alguma colega. Alguns estudantes passavam e olhavam pra mim piscando o olho, mas eu fingia que não via. Estava mais atenta à conversa das cozinheiras que a meus pensamentos; estava tranqüila, nem um pouco nervosa, me deixando levar pelo mundo exterior e não ligando muito para mim mesma.

Ele chegou em seu carro amarelo, exageradamente encapotado, com uma echarpe enorme que cobria metade do rosto e deixava de fora só os óculos.

— É para não ser reconhecido, sabe como é... minha namorada. Vamos pegar umas ruas secundárias, demora, mas pelo menos não tem perigo — disse ele assim que eu entrei.

Eu sentia a chuva bater mais forte nos vidros do carro, parecia que queria arrebentá-los. O lugar para onde fomos era a casa de campo dele, nas encostas do Etna, fora da cidade. Os ramos secos e escuros das árvores lascavam o céu nebuloso como pequenas rachaduras, as andorinhas voavam com dificuldade através da chuva pesada, ansiosas para chegar a um lugar mais quente. Até eu gostaria de levantar vôo para chegar a um lugar mais quente.

Nenhuma ansiedade em mim: foi como sair de casa para começar um novo trabalho, nada emocionante, aliás. Um trabalho obrigatório e cansativo.

— Abre o porta-luva, tem uns CDs.

Peguei alguns e escolhi Carlos Santana.

Falamos da escola, da universidade dele e depois de nós mesmos.

— Não quero que você me julgue mal — falei.

— Você está brincando? Seria como pensar mal de mim mesmo... quer dizer, a gente está, os dois, fazendo a mesma coisa, da mesma maneira. Na verdade, é até mais vergonhoso para mim, que tenho namorada. Sabe, ela...

— Não dá pra você — interrompi com um sorriso.

— Exatamente — disse ele com o mesmo sorriso.

Ele entrou por uma estradinha malfeita e em seguida parou diante de um portão verde. Desceu do carro e abriu o portão; quando voltou, notei o rosto de Che Guevara estampado em sua camiseta, completamente ensopado.

— Caralho! — exclamou ele. — Ainda estamos no outono e o tempo já está essa droga! — Virou-se depois e perguntou: — Você não está nem um pouco emocionada?

Apertei os lábios franzindo o queixo, sacudi a cabeça e um tempinho depois disse:

— Não, de jeito nenhum.

Para chegar à porta, cobri a cabeça com a bolsa e, correndo debaixo daquela chuva, rimos muito, como dois idiotas.

A casa estava completamente escura; quando entrei, senti um frio gélido. Eu ia tateando no breu, mas ele evidentemente estava mais habituado, conhecia todos os cantinhos e andava com uma certa desenvoltura. Fiquei parada em um ponto onde parecia que havia luz e vi um sofá onde coloquei minha bolsa.

Roberto chegou por trás, virou-me e me beijou com toda a sua língua. Me deu um pouco de nojo aquele beijo, realmente, era completamente diferente do beijo de Daniele. Ele passou toda a sua saliva para mim, deixando escorrer um pouco nos lábios. Afastei-o gentilmente sem deixar que percebesse nada e me sequei com a palma da mão. Ele pegou aquela mesma mão e conduziu-me para o quarto, sempre na mesma escuridão e no mesmo frio.

— Não dá para acender a luz? — perguntei enquanto ele me beijava o pescoço.

— Não, eu prefiro assim.

Ele me deitou em cima da cama enorme, ajoelhou-se e tirou meus sapatos. Eu não estava nem excitada, nem impassível. Tinha a impressão de estar fazendo tudo aquilo só porque ele gostava.

Despiu-me como se eu fosse um manequim numa vitrine, como um vendedor rápido e indiferente que despe o boneco, porém sem vestir de novo.

Quando viu as minhas meias altas, perguntou espantado:

— Ah, você usa essas meias que se seguram sozinhas?

— Sim, sempre — respondi.

— Mas você é uma cadelinha! — exclamou bem alto.

Fiquei envergonhada com aquele comentário fora de lugar, mas fiquei ainda mais chocada com a mudança do comportamento dele, de um menino gentil e educado para um homem rude e vulgar. Tinha os olhos acesos e famélicos, as mãos que remexiam embaixo da camiseta, embaixo da cueca.

— Quer que eu fique com elas? — perguntei para fazer a vontade dele.

— Claro, deixa, fica mais cachorra.

Fiquei vermelha de novo, mas depois senti o meu fogo esquentar pouco a pouco e a realidade ir se afastando gradualmente. A Paixão estava tomando as rédeas.

Saí da cama e percebi o chão incrivelmente frio debaixo dos meus pés. Esperava que ele me possuísse e fizesse de mim o que bem entendesse.

— Me chupa, piranha! — sussurrou ele.

Não liguei para minha própria vergonha, expulsei-a imediatamente e fiz o que ele tinha pedido. Senti o membro que ficava duro e grande e ele me pegou pelas axilas e me puxou de volta para a cama.

Como uma boneca inerte, me colocou em cima dele e dirigiu a sua longa haste para o meu sexo, ainda pouco aberto e muito pouco molhado.

— Quero que você sinta dor. Vai, grita, quero ouvir que eu estou te machucando.

De fato, machucava mesmo, sentia as paredes queimando e a dilatação aconteceu contra a minha vontade.

Eu gritava e o quarto escuro girava a meu redor. A timidez tinha ido embora e no lugar dela tinha só o desejo de que ele fosse meu.

"Se eu gritar", pensei, "ele vai ficar satisfeito, afinal foi o que pediu. Vou fazer tudo o que ele me mandar fazer."

Eu gritava e sentia dor, nenhum fio de prazer me atravessava. Ele, ao contrário, explodiu, sua voz se transformou e suas palavras se tornaram obscenas e vulgares. Ele as jogava contra mim e elas me penetravam com uma violência que superava até a sua penetração.

Em seguida, tudo voltou ao que era antes. Ele pegou os óculos de volta da mesinha, jogou fora a camisinha segurando com um lenço de papel, se vestiu com toda a calma, fez um carinho na minha cabeça e no carro falamos de Bin Laden e Bush como se nada daquilo tivesse acontecido...

25 de outubro de 2001

Roberto me liga com freqüência, diz que ouvir minha voz o enche de alegria e dá vontade de fazer amor. Essa última coisa ele diz baixinho, não quer que ouçam e também tem um pouco de vergonha de admitir. Eu respondo que acontece a mesma coisa comigo, que muitas vezes me toco pensando nele. Não é verdade, diário. Eu digo isso só para o orgulho dele que, metido, sempre fala:

— Sei que sou um bom amante. As mulheres gostam muito.

Ele é um anjo presunçoso, é irresistível. Sua imagem me perseguiu o dia inteiro, mas penso nele mais como um cara gentil do que como amante apaixonado. Quando ele se transforma, me faz rir, mas acho que sabe se manter em equilíbrio e ser várias pessoas diferentes em momentos diversos. Ao contrário de mim, que sou sempre a mesma, sempre igual. Minha paixão está em toda parte, assim como a minha malícia.

1º de dezembro de 2001

Disse pra ele que depois de amanhã é meu aniversário e ele exclamou:

— Ótimo, então temos que festejar de maneira apropriada.

Sorri e disse:

— Roby, ontem nós já festejamos o suficiente. Não está satisfeito?

— Bem, não... eu disse que o dia do seu aniversário vai ser especial. Você conhece o Pino, não conhece?

— Sim, claro — respondi.

— Gosta dele?

Com medo de responder alguma coisa que pudesse afastá-lo de mim, enrolei um pouco, mas depois resolvi dizer a verdade:

— Sim, muito.

— Muito bem. Passo pra te pegar depois de amanhã, então.

— Certo... — desliguei o telefone curiosa com aquela sua estranha excitação.

3 de dezembro de 2001
4h30 da manhã

Meu 16º aniversário. Quero parar agora, não seguir adiante. Aos 16 anos, sou dona das minhas ações, mas também vítima do acaso e da casualidade.

Ao sair de casa, notei que no carro amarelo Roberto não estava sozinho. Vi o cigarro escuro, incerto na penumbra, e logo entendi tudo.

— Você poderia ficar pelo menos no dia do seu aniversário — tinha dito minha mãe antes de eu sair, mas não dei ouvidos, fechando devagar a porta de entrada e saindo sem responder.

O anjo presunçoso me olhou sorridente e entrei no carro fingindo que não tinha percebido que Pino estava no banco de trás.

— E aí? — perguntou Roberto. — Não vai dizer nada? — indicando com a cabeça o banco de trás.

Eu me virei e vi Pino todo refestelado no banco, os olhos vermelhos e as pupilas dilatadas. Sorri e perguntei:

— Você fumou maconha?

Ele fez que sim com a cabeça e Roberto falou:

— E bebeu também uma garrafa inteira de aguardente.

— Beleza! — falei. — Já deve estar bem calibrado.

As luzes da cidade refletiam-se nas janelas do carro, as lojas ainda estavam abertas, os proprietários esperando ansiosos pelo Natal. Nas calçadas, casais e famílias caminhavam sem saber que dentro do carro estava eu junto com dois homens que iam me levar sei lá aonde.

Atravessamos a via Etna. Dava para ver o Duomo iluminado e cercado pelas imponentes palmeiras das tamareiras. Embaixo dessa rua passa um rio num leito de pedras vulcânicas. É silencioso, imperceptível. Como meus pensamentos, mudos e dissimulados, sabiamente escondidos sob a couraça. Escorrem. Dilaceram.

De manhã, aqui perto, tem o mercado de peixe, sente-se o cheiro do mar vindo das mãos dos pescadores que, com as unhas escurecidas pelas entranhas dos peixes, tiram água de um balde e borrifam os corpos frios e cintilantes dos animais ainda vivos e pulsantes. Nós estávamos indo justamente naquela direção, mas de noite a atmosfera muda completamente. Ao sair do carro, notei que o cheiro de mar tinha se transformado em cheiro de maconha e haxixe, jovens com *piercings* substituíam os velhos pescadores bronzeados, mas a vida continuava a ser vida, sempre e de qualquer forma.

Quando desci do carro, passou do meu lado uma velha com cheiro ruim, vestida de vermelho, com um gato nos braços, vermelho ele também, magro e cego de um olho. Ela entoava uma cantiga:

Passando pela via Etna
Que fausto de luzes
que multidão que tem.
Vi tantos meninos que de jeans
se exibem diante dos bares.
Como é bela Catania de noite,
sob os raios brilhantes da lua
a montanha que é rubra de fogo,
aos apaixonados seu ardor empresta. *

Caminhava como um fantasma, lentamente, com os olhos esbugalhados, e fiquei olhando para ela enquanto eles desciam do carro. O casaco da mulher roçou em mim

* Em dialeto siciliano: Passiannu 'pa via Etnea/Chi sfarzu di luci,/chi fudda 'ca c'è./Viru tanti picciotti 'che jeans/si mettunu 'nmostra/davanti 'e cafè./Com'è bella Catania di sira,/sutta i raggi splinnenti di luna/ a muntagna ca è russa di focu,/all'innamurati l'arduri ci runa.

e senti um arrepio estranho; cruzamos os olhos por um breve instante, mas foi tão intenso e tudo ali era tão eloqüente que tive medo, medo de verdade, louco. Seu olhar oblíquo e vivo, nem um pouco estúpido, dizia:

— Lá dentro você vai encontrar a morte. E já não poderá pegar de volta seu coração, menina, você vai morrer, e alguém vai jogar terra na sua tumba. Nem uma flor, nem uma sequer.

Fiquei toda arrepiada, aquela bruxa tinha me enfeitiçado. Mas não dei ouvidos, sorri para os dois que vinham na minha direção, lindos e perigosos.

Pino mal se agüentava nas próprias pernas, ficou em silêncio o tempo todo. Roberto e eu também não falamos como das outras vezes.

Roberto tirou um maço grande de chaves do bolso da calça e enfiou uma delas na fechadura. O portão rangeu, ele teve que fazer força para abrir, mas finalmente se fechou atrás de nós com grande barulho.

Eu não falava, não tinha nada para perguntar, sabia muito bem o que é que estávamos nos preparando para fazer. Subimos pelas escadas gastas pelos anos, as paredes do prédio pareciam tão frágeis que fiquei com medo que alguma coisa deslizasse e nos matasse; as rachaduras, muitas, e as luzes brancas davam um aspecto diáfano às paredes azuis. Paramos na frente de uma porta através da qual se ouvia música.

— Mas tem alguém?

— Não, a gente esqueceu o rádio ligado antes de sair — respondeu Roberto.

Pino foi direto para o banheiro deixando a porta aberta; eu podia vê-lo, segurava o membro molenga e enrugado. Roberto foi até o outro quarto para abaixar o volume e eu fiquei no corredor observando curiosa todos os quartos que dava pra ver de lá.

O anjo presunçoso voltou sorrindo, me beijou na boca e, indicando um quarto, falou:

— Espera lá na câmara dos desejos, a gente chega daqui a pouco.

— Ah, ah — ri. — Câmara dos desejos... nome estranho para um quarto onde se trepa!

Entrei no quarto, bem pequeno. Na parede tinha centenas de fotos de modelos nuas, recortes de revistas pornô, cartazes de gravuras eróticas japonesas e posições do Kamasutra. Indefectível, no teto, a bandeira vermelha com o rosto do Che.

"Mas onde é que vim parar", pensei, "numa espécie de museu do sexo... de quem será essa casa?"

Roberto chegou com um pano preto na mão. Virou-me de costas e vendou-me com o lenço, me girou de volta para ele e exclamou rindo:

— Você parece a deusa Fortuna.

Ouvi o interruptor da luz dar o seu clique e depois não consegui ver mais nada.

Percebi passos e sussurros, depois duas mãos abaixaram meu *jeans*, tiraram o suéter fechado e o sutiã. Fiquei de fio-dental, meias altas e botas de salto agulha. Podia me ver vendada e nua, imaginava no meu rosto apenas os lábios que dentro em pouco iriam saborear alguma coisa deles.

De repente as mãos aumentaram, e agora eram quatro. Era fácil distinguir porque duas estavam em cima, apalpando meus seios, e duas embaixo, roçando meu sexo através da calcinha e acariciando minha bunda. Não conseguia sentir o cheiro de álcool de Pino, talvez ele tivesse escovado os dentes no banheiro. Enquanto eu me imaginava cada vez mais dominada por aquelas mãos e começava a me excitar, senti, atrás, o contato de um objeto gelado, um copo. As mãos continuavam a me tocar, mas o copo esmagava a pele com mais força. Assustada, perguntei:

— Quem é, porra?

Uma risadinha no fundo e depois uma voz conhecida:

— O seu *barman*, tesouro. Não se preocupe, eu só estou trazendo um drinque pra você.

Aproximou o copo da minha boca e engoli devagar um pouco de licor de uísque. Lambi os lábios e uma outra boca me beijou com paixão, enquanto as mãos continuavam a me acariciar e o *barman* me dava bebida. Um quarto homem estava me beijando.

— Que bunda gostosa que você tem... — dizia uma voz desconhecida. — Macia, branquinha, dura. Posso dar uma mordida?

Sorri com o pedido engraçado e respondi:

— Faz e pronto, não pergunta. Só quero saber uma coisa: quantos vocês são?

— Fique tranqüila, amor — disse uma voz nas minhas costas. E senti uma língua lambendo as vértebras da minha espinha. Agora a imagem que eu tinha de mim era mais sedutora: vendada, seminua, cinco homens que me lambem, me acariciam, me mordem e excitam todo o meu corpo. Eu estava no centro das atenções e eles faziam comigo tudo o que era permitido na câmara dos desejos. Não se ouvia uma voz, só suspiros e carícias.

E quando um dedo enfiou-se bem devagar no meu Segredo senti um repentino calor e compreendi que a razão estava me abandonando. Eu me rendia ao toque das mãos deles e sentia bem viva a curiosidade de saber quem eram, como eram. E se o prazer fosse fruto das ações de um homem feio e babão? Naquele momento, eu não me importava. Agora me envergonho, diário, mas sei que se lamentar depois de ter feito as coisas não serve pra nada.

— Bom — disse finalmente Roberto —, falta o último componente.

— O quê? — perguntei.

— Não se preocupe. Pode tirar a venda, agora a gente vai jogar outro jogo.

Hesitei um segundo antes de tirar a venda, mas depois puxei-a lentamente pela cabeça e vi que eu e Roberto estávamos sozinhos no quarto.

— Cadê os outros? — perguntei surpresa.

— Estão te esperando no outro quarto.

— Que se chama...? — perguntei divertida.

— Hum... sala da fumaça. Vamos apertar um baseado.

Eu queria, com todas as minhas forças, ir embora e deixá-los lá. Aquela pausa me esfriou e a realidade se apresentou em toda a sua crueza. Mas eu não podia, agora tinha começado e tinha que ir até o fim a qualquer custo. E fazia isso por eles.

Deu para entrever as silhuetas no quarto escuro, iluminado só por três velas apoiadas no chão. Do pouco que podia notar, a forma dos rapazes presentes não era feia e isso me consolou.

No quarto, havia uma mesa redonda com cadeiras ao redor. O anjo presunçoso se sentou.

— Você também fuma maconha? — perguntou Pino.

— Não, obrigada, eu nunca fumo.

— Essa não... a partir dessa noite você também fuma — disse o *barman*, que notei que tinha um belo físico torneado e alto, a pele escura e os cabelos crespos compridos até os ombros.

— Não, desculpe decepcionar você, mas quando eu digo não, é não. Eu nunca fumei, não vou fumar agora e não sei se algum dia fumarei. Acho inútil e, por isso mesmo, deixo pra vocês.

— Pelo menos, não vai nos privar de uma bela vista — disse Roberto batendo a mão na madeira da mesa. — Senta aqui.

Eu me sentei na mesa com as pernas abertas, os saltos das botas enfiados na madeira e o sexo aberto à visão de todos. Roberto aproximou a cadeira e a vela acesa do meu púbis para iluminá-lo. Apertava o baseado voltando os olhos primeiro para a erva cheirosa e depois para o meu Segredo. Seus olhos brilhavam.

— Comece a se tocar — ordenou ele. Enfiei bem devagarinho um dedo na minha fenda e ele desviou a atenção do fumo para se dedicar à visão do meu sexo.

Por trás chegou alguém que me beijou os ombros, me tomou entre os braços e me encaixou em seu corpo, tentando entrar com sua haste dentro de mim. Eu estava inerte. O olhar baixo e apagado. Vazio. Não quis olhar.

— Ei, não, não... a gente combinou antes... essa noite ela não vai ser penetrada por ninguém — disse Pino.

O *barman* foi até o outro quarto e pegou de volta a venda negra que antes cobria meus olhos. Vendaram-me de novo e uma mão me obrigou a me ajoelhar.

— Agora, Melissa, a gente vai passar o baseado — ouvi a voz de Roberto —, e cada vez que um de nós estiver com ele na mão vai estalar os dedos e tocar a sua cabeça, assim você vai entender que ele chegou. Vai se aproximar do escolhido e vai chupar até ele gozar. Cinco vezes, Melissa, cinco. De agora em diante, a gente não vai mais falar. Bom trabalho.

E no meu palato cinco gostos diferentes se encontraram, cinco sabores de cinco homens. Cada sabor com sua história, em cada poção a minha vergonha. Durante aqueles momentos, tive a sensação e a ilusão de que o prazer não era só carnal, que era beleza, alegria, liberdade. E estando nua no meio deles senti que pertencia a um outro mundo, desconhecido. Mas quando saí por aquela porta, senti o coração despedaçado e uma vergonha indescritível.

Depois me abandonei em cima da cama e senti meu corpo se entorpecendo. Na escrivaninha do quarto estreito eu via o *display* do meu celular lampejando e sabia que estavam me ligando de casa, já eram duas e meia da manhã. Nesse meio tempo alguém entrou, estendeu-se em cima de mim e me comeu; um outro o seguiu e apontou o pênis para a minha boca. E quando um terminava, o outro descarregava em cima de mim o seu líquido esbranquiçado. E os outros também. Suspiros, lamentos e grunhidos. E lágrimas silenciosas.

Voltei para casa cheia de esperma, com a maquiagem borrada, e minha mãe me esperava dormindo no sofá.

— Estou aqui — falei. — Cheguei.

Ela estava muito sonolenta para me repreender pelo horário, portanto acenou com a cabeça e foi para o seu quarto.

Entrei no banheiro, me olhei no espelho e não vi mais a imagem daquela que se examinava encantada alguns anos antes. Vi olhos tristes, que o lápis preto escorrendo pelo rosto tornava ainda mais miseráveis. Vi uma boca que tinha sido violentada diversas vezes naquela noite e que tinha perdido o seu frescor. Me sentia invadida, emporcalhada por corpos estranhos.

Depois dei as cem escovadas nos cabelos, como faziam as princesas, segundo dizia sempre a minha mãe, com a vagina que, ainda agora, quando escrevo no meio da noite, cheira a sexo.

4 de dezembro de 2001
12h45

— E então, se divertiu ontem? — perguntou minha mãe hoje de manhã, cobrindo com um bocejo o apito da cafeteira.

Dei de ombros e respondi que tinha sido uma noite como qualquer outra.

— Suas roupas estavam com um cheiro esquisito — disse ela com aqueles olhos de quem quer saber e entender tudo sobre os outros, e mais ainda quando se trata de mim.

Assustada, me virei num salto mordendo os lábios. Pensei que talvez ela tivesse sentido o cheiro do esperma.

— Cheiro de quê? — perguntei aparentando calma e observando despreocupadamente o sol além da janela da cozinha.

— De fumo... sei lá... de maconha — disse ela com cara de nojo.

Com alívio, me virei, sorri de leve e disse:

— Bom, sabe como é... no lugar que a gente foi ontem tinha gente fumando. Não dava pra mandar apagar, né?

Ela me olhou com olhos turvos e disse:

— Experimente voltar pra casa fumada e não vai sair nunca mais, nem pra ir à escola!

— Hum, tudo bem — debochei —, vou tentar encontrar um traficante de confiança: você me deu um ótimo álibi para não ter mais que ir àquela merda de escola. Obrigada!

...Como se o que fizesse mal fosse só o haxixe. Eu poderia fumar quilos e mais quilos desde que não sentisse mais essa estranha sensação de vazio, de nada. É como se estivesse suspensa no ar admirando o que fiz ontem. Não, aquela não era eu. Era a outra, a que não se ama, deixando-se roçar por mãos ávidas e desconhecidas; era aquela que não se ama recebendo o esperma de cinco pessoas diferentes e sendo contaminada até a alma, onde a dor ainda não existia.

A que se ama sou eu: eu sou aquela que hoje à noite, mais uma vez, deixou os cabelos brilhantes depois de escová-los cem vezes com todo o cuidado, aquela que reencontrou a maciez fresca dos lábios. E que se beijou, dividindo consigo mesma o amor que ontem lhe tinha sido negado.

20 de dezembro de 2001

Tempo de presentes e de falsos sorrisos, de moedinhas jogadas, com uma bela dose momentânea de boa consciência, entre as mãos dos ciganos com os filhos nos braços na beira das calçadas. Eu não gosto de comprar presentes para os outros; compro sempre, mas só para mim mesma, talvez porque não tenha ninguém a quem possa dá-los. Hoje à tarde saí com o Ernesto, um cara que conheci num *chat.* Ele logo me pareceu simpático, trocamos telefone e começamos a nos encontrar como bons amigos, embora ele seja meio distante, preso pela universidade e por suas misteriosas amizades.

A gente sai muito para fazer compras e não me envergonho quando entro com ele em alguma loja de *lingerie,* onde, aliás, ele compra bastante.

— Para a minha nova namorada — diz ele. Mas nunca me apresentou nenhuma.

Com as vendedoras ele parece ter intimidade, logo se chamam pelo nome e riem juntos. Eu remexo entre os cabides procurando as roupas que usarei para aquele que conseguir me amar. E guardo todas elas bem dobradinhas dentro da primeira gaveta da cômoda, intactas.

Na segunda gaveta, as roupas íntimas que uso nos encontros com Roberto e seus amigos. Meias compridas gastas pelas unhas deles e calcinhas de renda um pouco esgarçadas, com fios de algodão pendentes porque foram esticados demais por mãos sedentas. Eles não ligam, para eles basta que eu seja safada.

No começo, eu comprava sempre *lingerie* de renda branca, tomando cuidado para combinar direito.

— O preto ficaria melhor em você — me disse Ernesto certa vez —, combina mais com as cores do rosto e da pele.

Segui o conselho dele e agora só compro renda negra.

Fico olhando pra ele, interessado em fios dentais coloridos, dignos de uma dançarina brasileira: rosa choque, verde, azul elétrico. Quando ele quer parecer sério, compra vermelho...

— Devem ser bem esquisitas essas suas namoradas — comento.

Ele ri e diz:

— Não tanto quanto você — e meu ego fica novamente inchado.

Os sutiãs são quase todos com enchimento e ele nunca combina com as calcinhas, prefere misturar cores completamente inacreditáveis entre si.

Depois as meias: as minhas quase sempre do tipo que seguram sozinhas, opacas, com a parte elástica em renda, rigorosamente negras para contrastar com a brancura invernal da minha pele. Ele compra meias tipo arrastão, bem longe do meu gosto.

Quando gosta de alguma menina mais que das outras, Ernesto mergulha no meio da multidão das lojas de departamentos e compra roupas brilhosas enfeitadas com paetês multicoloridos, com decotes vertiginosos e cortes audaciosos.

— Quanto é que a moça cobra por hora? — brinco.

Ele fica sério e vai pagar sem responder. Eu fico culpada e paro de bancar a boba.

Hoje, enquanto passeávamos entre as lojas iluminadas e as vendedoras azedas e jovens, a chuva nos surpreendeu, molhando as bolsas de papel grosso que segurávamos.

— Vamos pra baixo de um pórtico! — disse ele alto, agarrando minha mão.

— Ernesto! — disse eu no meio do caminho, meio impaciente, meio divertida. — Não tem pórtico nenhum na via Etna!

Ele me olhou paralisado, deu de ombros e exclamou:

— Então vamos para a minha casa! — Eu não queria ir, tinha descoberto que Maurizio, amigo de Roberto, morava no mesmo prédio que ele. Não queria vê-lo e menos ainda que Ernesto descobrisse aquelas minhas atividades secretas.

Do lugar em que estávamos, a casa dele ficava a algumas centenas de metros, que percorremos com passo rápido, de mãos dadas. Foi ótimo correr com alguém sem ter que pensar que logo em seguida teria que me deitar numa cama e me abandonar sem limites. Gostaria, para variar, que fosse eu a decidir: quando e onde fazer, durante quanto tempo, com quanto desejo.

— Tem alguém em casa? — sussurrei subindo as escadas, com um eco que ribombava.

— Não — respondeu ele ofegante —, foram todos para casa durante as férias. Ficou só o Gianmaria, mas hoje ele também não está. — Satisfeita, fui seguindo, olhando-me de esguelha no espelho da parede.

A casa dele é quase vazia e a presença de quatro homens é visível: tem um cheiro ruim (é, aquele cheiro oprimente de esperma) e a desordem parece encher os quartos.

Atiramos as bolsas no chão e tiramos os casacos ensopados.

— Quer uma camiseta emprestada? Só o tempo das roupas secarem.

— Tá, obrigada — respondi.

Ao chegar ao seu quarto-biblioteca, ele abriu o armário com um certo temor e, antes que estivesse completamente aberto, pediu-me que fosse buscar os pacotes.

Quando voltei, ele fechou depressa o armário e eu, divertida e molhada, exclamei:

— O que tem aí? As suas mulheres mortas?

Ele sorriu e respondeu:

— Mais ou menos.

Fiquei curiosa com a forma como ele respondeu e, para evitar que eu fizesse mais perguntas, ele disse arrancando as bolsas das minhas mãos:

— Deixa eu ver, anda! O que foi que você comprou, menina?

Abriu com as duas mãos o papelão molhado e enfiou a cabeça lá dentro como um menino recebendo seu presente de Natal. Seus olhos brilhavam e, com a ponta dos dedos, ele extraiu de lá umas calcinhas pretas.

— Oba! O que você faz com isso, hein? Para quem usa isso? Duvido que seja para ir à escola...

— Todo mundo tem os seus segredos... — falei, irônica, consciente de despertar suspeitas.

Ele me olhou espantado, inclinou um pouco a cabeça para a esquerda e disse suavemente:

— É mesmo?... Vamos ver isso, que segredo é esse que você tem?

Estou cansada de guardá-lo dentro de mim, diário. Contei para ele. Seu rosto não mudou de expressão, ficou com o mesmo olhar encantado de antes.

— Você não vai falar nada? — perguntei incomodada.

— A decisão é sua, menina. Só posso te dizer para ir devagar.

— Tarde demais — falei, num tom de falsa resignação.

Tentando esconder a vergonha, ri bem alto e disse com voz alegre:

— Bem, bonitinho, agora é a vez do seu segredo.

A palidez dele pegou fogo, os olhos se moviam rápidos por todo o quarto, incertos.

Levantou do sofá de flores desbotadas e dirigiu-se em grandes passos para o armário. Abriu uma porta com um gesto violento, indicou com um dedo as roupas penduradas e disse:

— São minhas.

Eu reconheci as roupas, tínhamos comprado juntos e estavam penduradas sem etiqueta e visivelmente usadas e amassadas.

— O que você quer dizer com isso, Ernesto? — perguntei baixinho.

Os movimentos dele ficaram mais lentos, os músculos relaxaram e os olhos olhavam para o chão.

— Compro esses vestidos para mim mesmo. Eu uso e... trabalho com eles.

Eu também não fiz nenhum comentário, na realidade não pensava em nada. Mas, um segundo depois, todas as perguntas vieram à minha cabeça: trabalha? Como assim, trabalha? Onde trabalha? Por quê?

Ele começou, sem que eu tivesse perguntado nada.

— Gosto de me travestir de mulher. Comecei alguns anos atrás. Me fecho no quarto, ponho uma câmera apontada para a mesa e me visto. Eu gosto, me sinto bem. Depois me observo na tela e... bem... me excito... E algumas vezes me exibo na *webcam*, se alguém pedir — um rubor espontâneo e forte quase o engolia.

Silêncio geral, só o barulho da chuva que chovia céu abaixo, formando delicados fios metálicos que se encadeavam.

— Você se prostitui? — perguntei sem meias palavras.

Ele confirmou, cobrindo imediatamente o rosto com ambas as mãos.

— Meli, eu só faço serviços de boca, pode acreditar, mais nada. Tem uns que me pedem para... quer dizer, uns veados, mas eu juro, juro que não faço... É para pagar meus estudos, você sabe que meus pais não podem... — ele queria continuar, arrumar mais alguma justificativa. Mas eu sei que ele gosta.

— Não estou te censurando, Ernesto — falei depois de um tempinho observando atentamente a janela na qual gotinhas brilhavam nervosas.

— Olha... cada um escolhe a própria vida, você mesmo disse isso ainda há pouco. Às vezes os caminhos tortos também podem ser certos, e vice-versa. O importante é a gente seguir a gente mesmo e os nossos sonhos, porque só assim pode dizer que escolheu o melhor. E então, agora eu queria saber por que você faz isso, de verdade. — Eu estava sendo hipócrita, sei disso.

Ele me olhou com olhos meigos e cheios de perguntas e depois falou:

— E você, faz por quê?

Não respondi, mas o meu silêncio disse tudo. E a minha consciência gritava tanto que, para mantê-la sob controle, eu disse muito espontaneamente, sem me envergonhar:

— Por que não se traveste para eu ver?

— Eu, hein, por que você está me pedindo isso agora?

Nem eu sabia.

Meio sem graça, falei baixinho:

— Porque é legal ver duas identidades em um só corpo: homem e mulher na mesma pele. Um outro segredo: a coisa me excita. E muito. E depois, me desculpe, mas é uma coisa que agrada aos dois... ninguém está te obrigando a fazer nada. Um prazer nunca é um erro, certo?

Dava para ver o negócio dele excitado dentro da calça, que ele tentava esconder.

— Tá bom — disse ele, seco. Do armário pegou um vestido e uma camiseta e jogou para mim.

— Desculpe, eu tinha esquecido de te dar. Veste.

— Mas eu vou ter que tirar a roupa — respondi.

— Tem vergonha?

— Não, não, de jeito nenhum — falei.

Fui tirando a roupa e a excitação dele foi crescendo diante da minha nudez. Enfiei-me dentro da grande camiseta rosa com a inscrição "Bye bye, Baby" e um olho da Marilyn que piscava observando a arrumação do meu amigo, como numa espécie de ritual sublime de êxtase. Ele tinha se vestido de costas, só pude ver os seus movimentos e a linha do fio dental que dividia as nádegas em quadrados. Virou-se: minissaia preta curta, meias altas arrastão, botas bem compridas, *top* dourado e sutiã com enchimento. Eis como se apresentava agora um amigo que sempre vi de Lacoste e Levi's. Minha excitação não era visível, mas estava lá.

No fio dental apertadíssimo o negócio dele explodia sem nenhum problema. Ele afastou o fio dental e começou a se esfregar.

Como num espetáculo, estendi-me no sofá-cama e observei atenta. Tinha vontade de me tocar e até de possuir aquele corpo. Fiquei espantada com a frieza quase masculina com que o observava enquanto ele se masturbava. Seu rosto estava desatinado e constelado por pequenas gotas de suor, enquanto o meu prazer chegava sem penetração, sem carícias, só do pensamento, de mim.

O dele, pelo contrário, chegou forte e seguro, vi quando espirrou para fora e ouvi seu arquejo, que foi interrompido quando ele abriu os olhos.

Ele se deitou comigo no sofá, nos abraçamos e adormecemos com Marilyn, que esfregava o olho contra a perolinha do *top* de Ernesto.

3 de janeiro de 2002
2h30 da manhã

De novo na casa-museu, com as mesmas pessoas. Dessa vez o jogo foi que eu era a terra e eles os vermes que me escavavam. Cinco vermes diferentes escavaram sulcos sobre meu corpo, e o terreno ao redor da casa era barrento e deslizante.

Uma velha bata amarelada, da minha vó, tinha sido pendurada no meu armário. Vesti, senti o perfume de amaciante e de um tempo que não existe mais misturando-se com o absurdo presente. Soltei os cabelos nos ombros protegidos por aquele passado reconfortante. Soltei-os, cheirei-os e fui para a cama com um sorriso que logo se transformou em pranto. Suave.

9 de janeiro de 2002

Na casa de Ernesto, os segredos não foram muitos. Confessei a ele que aquilo que tinha acontecido fez nascer em mim o desejo de ver dois homens um dentro do outro. Quero ver dois homens trepando, é isso. Ver os dois se comendo como até agora me comeram, com a mesma violência, com a mesma brutalidade.

Não consigo parar, corro veloz como um graveto arrastado pela corrente de um rio. Aprendo a dizer não aos outros e sim a mim mesma, a deixar que a parte mais profunda de mim venha à tona sem dar a mínima para o mundo em volta. Aprendo.

— Você é uma descoberta contínua, Melissa. Quer dizer, uma mina de fantasias e imaginação — disse ele com a voz ainda rouca do sono que acabava de deixar.

— Juro, Ernesto. Estaria disposta até a pagar — falei ainda abraçada a ele.

— E então? — perguntei impaciente depois de um tempo em silêncio.

— Então o quê?

— Bem, você que conhece esse... é... meio, não conhece ninguém disposto a se deixar olhar?

— O quê? Que história! Não dá pra ficar boazinha e tratar das suas historinhas normais?

— Só que ficar boazinha não combina comigo de jeito nenhum — respondi. — E depois, o que você entende por historinhas normais?

— Histórias de menina de 16 anos, Meli. Você menina, ele menino. Amor e sexo equilibrados, apenas o suficiente.

— Pois eu acho que essa é a verdadeira perversão! — falei histérica —, quero dizer, a vida comum: sábado à noite na Praça Teatro Massimo, domingo de manhã, café na beira do mar, sexo rigorosamente nos fins de semana, confiança nos pais, etc., etc. Melhor ficar sozinha!

Outro silêncio.

— Depois, é assim que eu sou, não quero mudar por nada nem ninguém. E sinceramente, olha quem fala! — gritei na cara dele, debochando.

Ele riu e acariciou minha cabeça.

— Menina, eu gosto de você, não quero que nada de ruim te aconteça, nunca.

— Mas vai acontecer se eu não fizer o que quero. E eu também gosto de você.

Ele falou de dois caras, estudantes do último ano de Direito. Vou conhecê-los amanhã: vão me pegar na Villa Bellini, na frente do chafariz onde nadam os cisnes, depois da escola. Vou telefonar para minha mãe e dizer que tenho que ficar toda a tarde fora, no curso de teatro.

10 de janeiro de 2002
15h45

— Vocês, mulheres, são mesmo idiotas! Olhar dois homens trepando... eu, hein! — disse Germano, no volante. Seus olhos são enormes e negros, o rosto, maciço e bem esculpido, cercado por lindos cachos negros que, não fosse a tez clara, fariam dele um jovem africano potente e soberbo. Estava na direção do carro sentado como o Rei da Selva, alto e majestoso, os dedos longos e afilados pousados no volante, um anel de aço com signos tribais destacando-se na brancura e na extraordinária maciez da mão.

Com uma vozinha suave e gentil, o outro carinha, de lábios delicados, respondia por mim lá de trás:

— Deixa ela, não está vendo que é nova? E é tão pequena... olha o rostinho lindo que ela tem, tão meigo. Tem certeza, menina, que quer fazer isso mesmo?

Aquiesci com a cabeça.

Pelo que entendi, os dois aceitaram esse encontro porque deviam um favor a Ernesto, embora eu não tenha entendido que favor era esse. O fato é que Germano estava irritado com toda aquela história e, se pudesse, me largava na beira da estrada deserta que estávamos percorrendo. No entanto, um entusiasmo desconhecido brilhava em seus olhos, era uma sensação sutil que eu sentia chegando intermitentemente. Durante a viagem, o silêncio nos fez companhia. Corríamos pelas estradas do interior indo para a casa de campo de Gianmaria, o único lugar onde ninguém viria nos incomodar. Era uma velha construção de pedra cercada de oliveiras e abetos; mais adiante viam-se extensões de videiras, mortas nessa estação. O vento soprava forte e, quando Gianmaria desceu para abrir o enorme portão de ferro, dezenas de folhas entraram no carro caindo nos meus cabelos. O frio era pungente, e o cheiro, típico de terra molhada e das folhas apodrecendo sob a água por muito tempo. Eu segurava a bolsinha na mão, esticada em cima dos saltos altos, agarrada em mim mesma por causa do frio; sentia a ponta do nariz enregelada e as bochechas imóveis, anestesiadas. Chegamos ao portão principal, no qual estavam entalhados vários nomes, impressos na madeira pelas crianças que ali brincavam no verão, uma marca da passagem do tempo. Lá estavam também os nomes de Germano e de Gianmaria... tenho que ir, diário, minha mãe escancarou a porta e disse que tenho que ir com ela visitar minha tia (que está no hospital com o quadril quebrado).

11 de janeiro de 2002

Um sonho que tive esta noite.

Desço do avião, o céu de Milão mostra uma cara atormentada e hostil. O vento gélido e grudento me despenteia e faz pesados os cabelos recém-saídos do cabeleireiro; com a luz amarelada, meu rosto ganha um colorido apagado e meus olhos parecem vazios, cercados por finas esferas fosforescentes que me dão um ar ainda mais estranho.

Minhas mãos são frias e brancas, de morta. Chego ao interior do aeroporto e olho meu reflexo num vidro: noto o rosto magro e descolorido, os cabelos longuíssimos, arrepiados e agora horrorosos. Meus lábios estão cerrados, hermeticamente fechados. Percebo uma estranha excitação, sem motivo.

Depois me revejo exatamente como o espelho refletia, mas em outro lugar. Em vez de estar nesse aeroporto, vestida com as antigas roupas de marca, estou, estranhamente, em uma cela escura e malcheirosa, à qual chega muito pouca luz, de modo que não consigo ver nem que roupas estou usando, nem em que condições estou. Choro, estou sozinha. Lá fora deve ser noite. No fundo, entrevejo uma luz ofuscante, mas de cor intensa. Nenhum ruído. A luz no corredor se aproxima. Fica cada vez mais próxima e me assusta porque não ouço nenhum passo. O homem que chega se move com grande cautela, é alto, possante.

Apóia ambas as mãos nas grades e eu, enxugando o rosto, me levanto e vou ao encontro dele; a luz da tocha ilumina o rosto dele, dando-lhe um ar diabólico, mas o resto do corpo permanece escondido. Vejo seus olhos enormes e famélicos, de uma cor indefinível, e dois lábios grandes, semi-abertos, que deixam entrever uma fileira de dentes branquíssimos. Ele leva um dedo à boca para que eu entenda que não devo falar. Fico observando seu rosto agora muito próximo e me dou conta de que é fascinante, misterioso e belíssimo. Tem um estremecimento intenso quando apóia seus dedos perfeitos em meus lábios, fazendo um movimento rotatório com muita suavidade. Meus lábios estão úmidos e eu, com um gesto quase espontâneo, me aproximo ainda mais das grades apertando o rosto contra elas. Agora os seus olhos se iluminam, mas sua calma é perfeita e sem tempo: seus dedos entram profundamente na minha boca e minha saliva os faz deslizar melhor.

Depois ele retira os dedos e, ajudando com a outra mão, arranca a parte de cima de minhas roupas gastas, deixando descobertos os seios redondos. Os bicos estão duros e eriçados por causa do frio que entra pela janelinha e, ao toque de seus dedos molhados, ficam ainda mais. Ele encosta os lábios nos meus seios, cheirando-os primeiro, depois beijando. Viro a cabeça para trás de prazer, mas meu busto permanece firme, entregando-se apenas a suas exigências. Ele pára, me olha e sorri. Com uma das mãos remexe entre suas roupas e, quando me aproximo, percebo que é um homem da igreja.

Há um tilintar de chaves e o barulho de uma porta de ferro que pouco a pouco se fecha. Ele está dentro. Comigo. Continua a arrancar minhas roupas por todo o corpo, deixa descoberta a barriga e depois mais embaixo, onde fica meu ponto mais quente. Lentamente me faz deitar no chão. Afunda a cabeça e a língua entre as minhas pernas. Não tenho mais frio e sinto vontade de me sentir, de me perceber através dele. Puxo-o para mim e sinto meus fluidos em seu rosto. Apalpo sob a túnica e sinto seu membro ereto e belíssimo em minha mão, que remexe, cada vez mais ansiosa... Seu pênis sob a batina quer sair e eu ajudo levantando o manto negro.

Ele entra dentro de mim, nossos líquidos se encontram e ele desliza de maneira estupenda como uma faca na manteiga, mas não desfere golpes. Retira o membro e se senta num canto. Eu deixo que espere e só depois me aproximo. Ele mergulha de novo em minha praia espumejante. Bastam poucos golpes, duros, secos e repentinos para me levar a um prazer infinito. Estamos em uníssono. Ele se recompõe e me abandona chorando ainda mais do que antes.

Depois abro os olhos e estou de novo no aeroporto, observando meu rosto.

Um sonho dentro do sonho. Um sonho que é o eco do que aconteceu antes. Seus olhos eram os de Germano.

O fogo da lareira os iluminava, fazia brilhar. Gianmaria entrou com dois grandes pedaços de lenha e um par de gravetos. Arrumou-os na lareira, que começou a clarear o ambiente, tornando-o mais acolhedor. Um calor antes desconhecido e reconfortante me invadia. Aquilo a que eu estava assistindo não provocava em mim nenhuma sensação horrível e vergonhosa, pelo contrário. Era como se meus olhos estivessem habituados a certas cenas, e a paixão, que durante todo aquele tempo estivera presa na minha pele, voou para fora e atingiu o rosto dos dois jovens que estavam involuntariamente em minhas mãos. Eu podia vê-los encaixados um no outro: eu na poltrona do lado da lareira, eles no sofá em frente, olhando-se e tocando-se com os espíritos do amor. Cada gemido era um "eu te amo" para o outro e cada golpe, que em minhas vísceras eu sentia devastante e doloroso, para eles era uma leve carícia. Eu queria fazer parte daquela intimidade incompreendida, do refúgio amoroso e terno, mas não fiz nenhuma proposta, fiquei só olhando conforme combinado. Estava nua e pura, no corpo e nos pensamentos. Depois Germano lançou-me um olhar saciado. Desencaixou-se e, para meu espanto, ajoelhou-se na minha frente e abriu bem devagar as minhas coxas. Esperou um sinal meu para mergulhar naquele universo. Conseguiu por um tempinho, mas depois voltou a ser ele mesmo, duro e implacável Rei africano. Tomou o meu lugar e, puxando-me pelos cabelos, guiou-me até seu membro e foi naquele instante que eu notei os olhos dele. Foi naquele instante que compreendi que a sua paixão não era diferente da minha: elas iam de mãos dadas, encontraram-se e fundiram-se.

Depois eles dois adormeceram abraçados no sofá e eu continuei a observá-los com a pele incandescente por causa das chamas da lareira, sozinha.

24 de janeiro de 2002

O inverno me deixa pesada, em todos os sentidos. Os dias são sempre iguais e tão monótonos que no fim não se consegue mais suportá-los. Acordar cedíssimo, escola, discussões com os professores, voltar pra casa, fazer os deveres até tarde, incrivelmente tarde, ver alguma besteira na TV, quando os olhos agüentam, ler algum livro e depois dormir. Dia após dia as coisas são assim, salvo algum telefonema inesperado do anjo presunçoso e de seus diabos; nesse caso, visto-me como melhor puder, tiro as roupas de estudante diligente e ponho as de mulher que enlouquece os homens. Tenho que agradecer a eles por me darem a oportunidade de me afastar da mediocridade e de ser algo diferente.

Quando estou em casa, entro na Internet. Procuro, exploro. Busco tudo aquilo que me excita e me faz ficar mal ao mesmo tempo. Busco a excitação que nasce da humilhação. Busco o aniquilamento. Busco os indivíduos mais bizarros, aqueles que enviam fotos sadomasoquistas, aqueles que me tratam como uma verdadeira puta. Aqueles que querem descarregar. Raiva, esperma, angústias, medos. Não sou diferente deles. Meus olhos ficam com uma luz doente, meu coração bate desenfreadamente. Acho (será que me iludo?) que posso encontrar nos meandros da rede alguém disposto a me amar. Não importa quem seja: homem, mulher, velho, jovem, casado, solteiro, *gay*, transexual. Todos.

Ontem à noite acessei o *site* lésbico. Experimentar com uma mulher. A idéia não me repugna totalmente. Mais que outra coisa, tenho vergonha, tenho medo. Algumas entraram em contato comigo, mas descartei-as de imediato, sem ter visto nem a foto.

Essa manhã encontrei um *e-mail* na minha caixa de correio: é uma menina de 20 anos. Disse que se chama Letizia, e também é de Catânia. A mensagem diz muito pouco, só o nome, a idade e o número do telefone.

1º de fevereiro de 2002
19h30

Na escola me deram um papel na peça de teatro.

Finalmente vou ocupar meus dias fazendo alguma coisa divertida. Vamos nos apresentar daqui a mais ou menos um mês, num teatro do centro.

5 de fevereiro de 2002
22h00

Liguei para ela, tem a voz um pouco estridente. Com um tom alegre e desenvolto, ao contrário do meu, melancólico, pesado. Depois de um tempo, me soltei, sorri. Não tinha nenhuma vontade de saber dela e de sua vida.

Só estava cheia de curiosidade de conhecê-la fisicamente. De fato, perguntei:

— Me desculpe, Letizia... Você não teria uma foto pra me mandar?

Ela riu bem alto e exclamou:

— Claro, liga o computador, vou mandar agora mesmo, enquanto estamos aqui no telefone, assim você me fala o que achou.

— OK — respondi satisfeita.

Linda, incrivelmente linda. E nua. Convidativa, sensual, cativante.

— É você mesmo? — balbuciei.

— Claro! Não está acreditando?

— Sim, claro, claro que acredito... Você é... linda... — consegui dizer embasbacada (e abobalhada também!) com a foto e com o meu encantamento. Quero dizer, não gosto de mulheres... Não me viro na rua quando passa uma mulher bonita, não cobiço as formas femininas e nunca pensei seriamente numa relação de casal com uma mulher. Mas Letizia tem um rosto angelical e belos lábios carnudos. Abaixo da barriga vi uma suave ilhota na qual eu poderia aportar, rica e recortada, cheirosa e sensual. E os seios, como duas doces colinas com dois círculos rosa e grandes na ponta.

— E você? — perguntou ela. — Tem uma foto pra me mandar?

— Tenho — falei —, espere um pouquinho.

Escolhi uma ao acaso, desencavada da memória do meu computador.

— Você parece um anjo — comentou Letizia —, é deliciosa.

— Tá certo, posso parecer um anjo... Mas não sou mesmo, de verdade — falei meio provocante.

— Melissa, quero me encontrar com você.

— Eu também espero por isso — respondi.

Depois desligamos e ela mandou uma mensagem de texto no celular dizendo o seguinte: "Vou percorrer teu colo com beijos ardentes e com a mão te explorar."

Tirei a calcinha, me enfiei embaixo dos cobertores e acabei com a doce tortura que Letizia tinha começado sem saber.

7 de fevereiro de 2002

Hoje, na casa do Ernesto, revi Gianmaria. Estava todo feliz, me abraçou com força. Disse que graças a mim as coisas entre ele e Germano tinham mudado. Não me disse em que mudaram e eu também não perguntei. De qualquer jeito, até hoje não sei que motivo levou Germano a se comportar daquele modo naquela noite, mas é evidente que a causa fui eu. Mas de quê? Por quê? Eu só fui eu mesma, diário.

8 de fevereiro de 2002
13h18

Mais buscas, não vão acabar até eu encontrar aquele que procuro. Na verdade, não sei bem o que quero. Procura, continua a procurar, Melissa, sempre.

Entrei num *chat*, na sala "Sexo perverso", com o apelido "*whore*". Procurei entre as várias preferências do perfil e inseri alguns dados que me interessavam. Ele logo me contatou, "*the_carnage*"; foi direto, explícito, invasivo, exatamente como eu queria que fosse.

— Como você gosta de ser comida? — escreveu de saída.

E eu respondi:

— Com brutalidade, quero ser tratada como um objeto.

— Quer que eu te trate como um objeto?

— Não quero nada. Você faz o que tem que fazer.

— Você é a minha puta, sabe disso?

— Para mim é difícil ser de alguém, não sou nem de mim mesma.

Ele começou a explicar como e onde me enfiaria o pau, quanto tempo ficaria dentro e como é que ia gozar.

Eu observava as palavras enviadas escorrendo, cada vez mais velozes. Meu estômago se contorcia e dentro de mim pulsavam uma vida e um desejo tão sedutores que eu não podia fazer outra coisa a não ser ceder. Aquelas palavras eram o canto das sereias e eu me expus conscientemente, mas dolorosamente.

Só depois de relatar que tinha se masturbado, perguntou a minha idade.

— Dezesseis — escrevi.

Ele digitou um monte de carinhas de espanto em toda a janela, seguidas de uma carinha sorridente. E em seguida:

— Porra! Parabéns!

— Parabéns por quê?

— Por ser tão sabidinha...

— É.

— Eu não acredito.

— O que você quer que eu diga... De todo jeito, que importância tem? A gente nunca vai se ver mesmo. Você nem é de Catânia.

— Como não! Sou sim, sou de Catânia.

Merda...! Que azar dar de cara logo com um catanês!

— E então, o que você quer de mim? — perguntei, segura de qual seria a resposta.

— Te comer.

— Você acabou de fazer isso.

— Não — outra carinha sorridente. — Na real.

Pensei alguns segundos e depois digitei o número do meu celular, mas no momento de enviar me veio uma hesitação. Depois o obrigado dele me fez ver a cagada que eu tinha acabado de fazer.

Não sei nada sobre ele, só que se chama Fabrizio e tem 35 anos.

O encontro é daqui a meia hora no Corso Italia.

21h00

Sei muito bem que às vezes o diabo se apresenta sob falsas vestes e só revela a verdadeira identidade depois de ter te conquistado. Primeiro te olha com olhos verdes e brilhantes, depois te trata carinhosamente, te dá um beijo leve no pescoço e em seguida te engole.

O homem que se apresentou na minha frente era elegante e não propriamente bonito: alto, forte, cabelos grisalhos e ralos (quem sabe se teria mesmo 35 anos), olhos verdes e dentes acinzentados.

Ao primeiro impacto fiquei fascinada, mas logo depois o pensamento de que ele era o mesmo homem do *chat* me fez estremecer. Percorremos as calçadas limpas onde ficam as lojas chiques de vitrines brilhantes; ele falou de si, de seu trabalho, da mulher que nunca amou, com quem casou obrigado pelo nascimento de uma menina. Tem uma voz bonita, mas uma risada estúpida que me incomoda.

Enquanto caminhávamos, passou o braço pelos meus ombros e eu dei um sorriso de circunstância, incomodada pela invasão e inquieta com o que poderia acontecer depois.

Eu poderia muito bem ir embora, pegar meu *scooter* e voltar pra casa, olhar minha mãe preparando a massa da torta de maçã, ouvir minha irmã lendo em voz alta, brincar com o gato... Poderia muito bem experimentar a normalidade e viver bem dentro dela, ficar com os olhos brilhantes só porque tirei uma nota boa na escola, sorrir timidamente porque alguém me fez um elogio; mas nada me choca, tudo é vazio e conhecido, desprovido de consistência, de valor.

Segui até o carro dele, que nos levou direto para uma garagem. O teto era úmido e caixas e utensílios enchiam o espaço que já era bem pequeno.

Fabrizio entrou em mim devagarinho, se apoiou em cima de mim de leve e felizmente não senti o peso do corpo dele. Quis me beijar, mas eu virei a cabeça porque não queria. Ninguém me beija desde os tempos de Daniele, o calor dos meus suspiros eu reservo para a minha própria imagem refletida, a maciez dos meus lábios já esteve muitas vezes, vezes demais, em contato com os membros sedentos dos diabos do anjo presunçoso e nem eles, tenho certeza, provaram a sua maciez. Assim, virei a cabeça para evitar o contato com os lábios dele, mas não deixei que sentisse o meu nojo. Fingi que estava querendo mudar de posição e ele, como um animal, transformou a doçura que antes tinha me espantado em crua bestialidade, grunhindo e me chamando em voz alta, enquanto seus dedos apertavam a carne de meus quadris.

— Estou aqui — dizia eu, e a situação me parecia grotesca. Não conseguia entender o porquê de ele pronunciar o meu nome, mas permanecer indiferente a seus chamados me parecia embaraçoso, então eu o tranqüilizava dizendo: — Estou aqui — e ele se acalmava um pouco.

— Deixa eu gozar dentro, por favor, deixa eu gozar dentro — dizia desatinado de prazer.

— Não, não pode.

Ele saiu de repente, pronunciando mais forte o meu nome até que se transformasse num eco cada vez mais fraco, um longo suspiro final. Depois, não satisfeito, voltou para cima de mim e se abaixou: mais uma vez ele estava dentro de mim, sua língua me tocava impaciente, sem respeito. Meu prazer não veio e o dele retornava como uma coisa inútil, que não me dizia respeito.

— Você tem lindos lábios grossos e suculentos, bons de morder. Por que não se depila? Ficaria mais bonita.

Não respondi, não é problema dele o que faço ou não com meus lábios.

O barulho de um carro nos assustou, nos vestimos de novo apressados (eu não via a hora) e saímos da garagem. Ele fez um carinho no meu queixo e disse:

— Da próxima vez, pequena, nós ficaremos mais confortáveis.

Desci do carro com os vidros embaçados e na rua todo mundo notou que eu estava saindo despenteada e desnorteada daquele carro dirigido por um sujeito de cabelos grisalhos e gravata descomposta.

11 de fevereiro

Na escola, as coisas não vão muito bem. Posso ser eu, preguiçosa e incapaz de levar as coisas até o fim, podem ser os professores, esquemáticos e categóricos demais... Talvez eu tenha uma visão um pouco idealista da escola e do ensino em geral, mas a realidade me deixa completamente desiludida. Odeio matemática! O fato de que isso não seja uma opinião me irrita. E depois aquela idiota da professora que continua a me chamar de ignorante sem conseguir me explicar nada! No *Mercatino*, procurei anúncios de professores particulares e encontrei uns dois interessantes. Só um estava disponível. É um homem, pela voz parece bem jovem, amanhã vou encontrar com ele para acertar as coisas.

A lembrança de Letizia martela na minha cabeça da manhã à noite, não sei o que está me acontecendo. Às vezes parece que estou disposta a tudo.

22h40

Fabrizio telefonou, falamos um tempão. No final, perguntou se eu tenho um local disponível para aquilo. Respondi que não.

— Então chegou o momento de te dar um belo presente — disse ele.

12 de fevereiro

Ele abriu a porta de camisa branca e *short* preto, cabelos molhados e óculos fininhos. Mordi os lábios e cumprimentei. O cumprimento dele foi um sorriso e quando eu disse: "Por favor, Melissa, sente-se", senti a mesma sensação de quando era criança e misturava leite, laranja, chocolate, café e morango no intervalo de uma hora. Gritou para alguém que estava em outro aposento, dizendo que ia para o quarto comigo. Abriu a porta, e pela primeira vez entrei no quarto de um homem normal: nada de fotos pornográficas, nenhum troféu idiota, nenhuma bagunça. As paredes tinham fotos antigas, pôsteres de grupos antigos de *heavy-metal* e gravuras impressionistas. E um perfume particular e sedutor que me inebriava.

Ele não pediu desculpas pela roupa decididamente informal e isso me divertiu muito. Disse para eu me sentar na cama enquanto pegava a cadeira da escrivaninha, sentando bem na frente. Eu estava um pouco sem graça... porra! Esperava um árido professorzinho com suéter de gola em V amarelo canário, cabelos repartidos e cor da pele combinando com o suéter. Mas quem se apresentou na minha frente foi um cara jovem, bronzeado, perfumado e extremamente fascinante. Eu ainda não tinha tirado o casaco e, com uma risada, ele falou:

— Ei, olha que eu não vou te engolir se você tirar o casaco.

Ri também, pensando que era uma pena que ele não fosse me engolir. Ainda não tinha reparado nos sapatos: felizmente nenhuma meia branca, só um tornozelo delgado e um pé cuidado e bronzeado que fazia movimentos concêntricos enquanto discutíamos os preços, o programa e o horário das aulas.

— Vamos ter que começar bem, mas bem do comecinho — falei.

— Não se preocupe, vou fazer você começar com a tabuada de dois — brincou ele.

Eu estava sentada na beira da cama, com uma perna cruzada e a mão segurando a outra.

— Que belo modo de se sentar — interrompeu ele, enquanto eu falava da professora de matemática.

Mordi novamente os lábios e bufei como quem dissesse "Ora, o que você quer dizer com isso?"

— Ah, tinha esquecido. Meu nome é Valerio, não me chame de professor, eu fico me sentindo velho demais — disse com um dedo fingidamente ameaçador, mudando de assunto.

Demorei um pouco: depois de tantas gracinhas da parte dele, era óbvio que eu também tinha que fazer alguma.

Clareei um pouco a voz e disse baixinho:

— E se eu preferisse chamar você de professor?

Dessa vez foi ele quem mordeu os lábios, sacudiu a cabeça e perguntou:

— E por que você ia querer fazer isso?

Dei de ombros e depois de um instante falei:

— Porque eu acho melhor, não é, professor?

— Pode me chamar como quiser, mas não fique me olhando com esses olhos — respondeu ele, visivelmente perturbado.

Lá vou eu de novo, sempre a mesma história. O que posso fazer, não consigo deixar de provocar quem está na minha frente e gosto disso. Faço isso com cada palavra e cada silêncio, e me sinto bem assim. É um jogo.

18 de fevereiro
20h35

Na cozinha já estão jantando. Eu me atrasei um pouco para escrever, porque quero entender o que foi que aconteceu realmente.

Hoje tive a primeira aula com Valerio. Com ele consigo entender alguma coisa, talvez por causa daqueles lindos ombros para ficar admirando, ou das mãos afiladas e elegantes que acompanham o andamento da caneta. Consegui fazer um par de exercícios, sempre com dificuldade. Ele estava bem sério, profissional, e isso o deixava ainda mais fascinante. Ele me cativou. Seus olhares eram admirativos, mas ele tentava manter uma certa distância entre nós, não deixar que a minha malícia interviesse no trabalho dele.

Para a ocasião, eu tinha escolhido uma saia justa, queria descaradamente seduzi-lo. Assim, quando me levantei para ir até a porta, ele começou a caminhar quase grudado em mim. Eu, de brincadeira, alternava passos rápidos e passos lentos, deixava que se aproximasse para logo em seguida me retirar.

Enquanto eu apertava o botão para chamar o elevador, senti o hálito dele no cangote e com um sussurro ele falou:

— Deixa o telefone livre amanhã à noite, entre 10 e 10h15.

19 de fevereiro de 2002
22h30

Duas notícias (como sempre, uma boa e uma ruim).

Fabrizio comprou um apartamentinho no centro onde a gente pode se ver sem ser descoberto pelas respectivas famílias.

Todo contente, exclamou no telefone:

— Mandei instalar uma tela gigante na frente da cama, assim vamos poder ver uns certos filmezinhos, hein, pequena? Ah, obviamente vou te dar as chaves. Um beijão nesse teu rostinho lindo. Tchau! — Obviamente essa é a notícia ruim.

Ele não me deixou tempo para responder, para falar da minha perplexidade e das minhas dúvidas. Acho que o que fiz foi muito arriscado. Eu só tinha a intenção de ir pra cama uma vez e depois até logo e obrigada. Não quero virar a amante de um cara casado com filha nas costas!

Não quero nem ele, nem o apartamento dele, o telão dele com filme pornô, não quero que ele compre o meu descompromisso como quem compra mais um de seus produtos de alta tecnologia. Com Daniele e com o anjo presunçoso eu sofri muito, e agora que estou recomeçando a viver à minha maneira chega um porco gordo e engravatado e me diz que quer um compromisso sexual comigo. Mas o castigo paira sempre sobre as nossas cabeças, as pontas afiladas das espadas estão sempre prontas a nos atingir bem no meio da testa quando menos esperamos. E a espada vai golpear a ele também, porque eu vou me apoderar do cabo.

Agora a notícia boa.

O telefonema chegou pontualmente e terminou pontualmente.

Eu estava nua sentada no chão e minha pele estava em contato com o mármore frio do assoalho do meu quarto. O telefone na mão e sua voz suspirada chegando até mim, fluida e sensual. Contou uma fantasia sua. Eu acompanhava uma de suas aulas e, a certa altura, pedia para ir ao banheiro e ao passar lhe dava um bilhetinho em que estava escrito "Siga-me". Esperava por ele no banheiro. Ele chegava, arrancava minha camiseta e, com as pontas dos dedos, recolhia as gotas que escorriam da pia aberta. Apoiava os dedos nos meus peitos e as gotinhas desciam lentamente. Depois levantava a minha sainha pregueada e entrava dentro de mim. Eu, apoiada na parede, recolhia em minhas vísceras o seu prazer; as gotinhas ainda escorriam sobre o meu corpo, molhando e desenhando pequenas linhas na pele. Nos recompúnhamos e retornávamos à sala onde eu, sentada na primeira cadeira, seguia o giz que escorria no quadro-negro assim como ele escorria dentro de mim.

Nos masturbamos no telefone. Meu sexo estava inchado como nunca e o Letes em cheia inundava meu Segredo, meus dedos estavam impregnados de mim, mas dele também, que eu sentia bem perto de mim; apesar das circunstâncias, sentia seu calor, seu perfume e imaginava o seu sabor. Às 22h15, ele disse:

— Boa-noite, Loly.

— Boa-noite, professor.

20 de fevereiro de 2002

Tem dias que não sei se devo parar de respirar definitivamente ou se fico em apnéia durante todo o tempo que me resta. Dias em que debaixo das cobertas respiro e engulo minhas lágrimas sentindo o sabor delas na língua. Levanto de uma cama desarrumada com os cabelos despenteados e com a pele violentada. Nua, diante de um espelho, observo meu corpo. Vejo uma lágrima escorrendo dos olhos pelas faces, enxugo com um dedo e arranho um pouco a bochecha com a unha. Passo as mãos nos cabelos, puxo para trás, faço uma careta só para parecer simpática e rir de mim mesma: mas não consigo, quero chorar, quero me punir. Vou até a primeira gaveta da mesinha. Primeiro examino tudo que tem dentro, depois separo com cuidado o que quero vestir. Boto as roupas dobradas em cima da cama e ponho o espelho bem em frente do lugar onde estou. Observo novamente o meu corpo. Os músculos ainda estão tensos, a pele, no entanto, é macia e lisa, branca e imaculada como a de uma menina. E uma menina é o que sou. Sento na beira da cama, enfio as meias esticando a ponta do pé e fazendo o véu fino deslizar até que a borda rendada chegue à coxa, apertando um pouco. Depois é a vez do corpete de seda preta com cordões e fitinhas. Aperta meu busto e afina a cintura que já é bem fina, evidenciando ainda mais os quadris, muito bem providos, redondos e macios demais para evitar que os homens desagüem ali as suas bestialidades. Os seios ainda são pequenos: duros, brancos, redondos, cabem nas mãos e podem esquentá-las com seu calor. O corpete é estreito, os seios ficam comprimidos, apertados um contra o outro. Ainda não é chegado o tempo de admirar-me. Calço as botas de salto agulha, enfio o pé até o tornozelo delicado e sinto que meu metro e sessenta ganha repentinamente dez centímetros. Vou até o banheiro, pego o batom vermelho e banho meus lábios suculentos e macios; depois aumento os cílios com rímel, penteio os cabelos longos e lisos e vaporizo três vezes o perfume que estava em cima do espelho. Volto para o quarto. Lá verei a pessoa que me faz vibrar a alma e o corpo com força. Examino-me encantada; uma luz especial contorna meu corpo, e meus cabelos caídos suavemente nos ombros convidam-me a acariciá-los. A mão cai vagarosamente dos cabelos, quase sem que eu perceba, para o pescoço, acaricia a pele delicada, e dois dedos envolvem sua circunferência apertando de leve. Começo a ouvir o som do prazer, ainda quase imperceptível. A mão desce um pouco mais, começa a acariciar o peito liso. A menina vestida de mulher que está diante de mim tem os olhos acesos e ávidos (de quê? de sexo? de amor? de vida verdadeira?). A menina só é senhora de si mesma. Seus dedos emaranham-se entre os pêlos de seu sexo e o calor lhe provoca um estremecimento da cabeça. Mil sensações me invadem.

— Você é minha — sussurro, e logo a excitação toma posse do meu desejo.

Mordo os lábios com os dentes perfeitos e brancos, os cabelos descompostos fazem minhas costas suarem, pequenas gotas enchem meu corpo de pérolas.

Ofegante, os suspiros aumentam... Fecho os olhos, meu corpo tem espasmos por todo lado, minha mente está livre e voa. Os joelhos cedem, a respiração é curta e a língua percorre os lábios, cansada. Abro os olhos: sorrio para a menina. Aproximo-me do espelho e lhe ofereço um beijo longo e intenso, minha respiração embaça o vidro.

Sinto-me sozinha, abandonada. Sinto-me como um planeta em cuja órbira giram três estrelas diversas: Letizia, Fabrizio e o professor. Três estrelas que me fazem companhia em pensamento, mas não na realidade.

21 de fevereiro

Acompanhei minha mãe ao veterinário para consultar meu gatinho, que estava com uma forma branda de asma. Miava baixinho, assustado pelas mãos enluvadas do médico; eu lhe acariciava a cabeça, encorajando-o com palavras doces.

No carro, minha mãe perguntou como ia a escola e como iam os rapazes. Dei uma resposta vaga a ambas as perguntas. Mentir é a regra agora, seria estranho para mim deixar de fazê-lo.

Pedi a ela que me levasse até a casa do professor de matemática porque eu tinha aula.

— Ah, muito bem, assim vou poder conhecê-lo finalmente! — disse ela entusiasmada.

Não respondi porque não queria que ela suspeitasse de nada e, além do mais, estava certa de que Valerio já esperava se encontrar, mais dia, menos dia, com minha mãe.

Felizmente, àquela hora suas roupas eram mais sérias. Porém, estranhamente, quando pediu que eu a acompanhasse ao elevador, minha mãe foi logo dizendo:

— Não gosto dele, tem uma cara de pervertido.

Fiz um gesto de pouco caso e disse que de qualquer jeito tudo o que ele tinha que fazer era me dar aulas de matemática, a gente não ia se casar. E depois minha mãe tem essa mania de reconhecer as pessoas pela cara e isso só me irrita!

Uma vez fechada a porta, Valerio mandou que eu pegasse o caderno para começarmos. Não tocamos no assunto do telefonema, só falamos de raízes cúbicas, quadradas, binômios... e seus olhos se camuflam tão bem que eu fiquei na maior dúvida. E se o tal telefonema tivesse sido só uma tentativa de me ridicularizar? E se ele nem se importasse comigo, só quisesse um orgasmo telefônico? Eu esperava um gesto, umas mínimas palavras, mas nada!

Depois, no momento em que me estendia o caderno, olhou-me como se tivesse entendido tudo e disse:

— Não marque nada para sábado. E não se vista antes de eu ligar.

Olhei-o embasbacada, mas ele não disse mais nada e eu, tentando fingir total indiferença às suas palavras, abri o caderno e examinei o que ele tinha escrito: entre o *x* e o *y*, li em letra minúscula:

> Como um paraíso era a minha Lolita, um paraíso imerso em chamas
>
> Prof. Hubert

Mais uma vez, não falei nada, nos despedimos e ele lembrou o encontro marcado. E quem vai esquecer?...

22 de fevereiro

À uma recebi um telefonema de Letizia perguntando se eu queria almoçar com ela. Respondi que sim, mesmo porque não poderia voltar para casa, pois o ensaio geral para o espetáculo começava às três e meia. Estava com vontade de vê-la, pensava muito nela de noite, antes de dormir.

Ao vivo era ainda mais bonita, mais verdadeira. Observei suas mãos macias servindo o vinho e em seguida observei as minhas que, por causa do frio que pegam todo dia no *scooter*, estavam vermelhas e ressecadas como as de um macaco.

Ela falou de tudo um pouco, em uma hora conseguiu me contar os seus 20 anos. Falou da família, da mãe morta prematuramente, do pai que estava na Alemanha e da irmã que raramente via desde que tinha se casado. Falou dos professores, da universidade, dos *hobbies*, do trabalho.

Olhei suas sobrancelhas e me deu um desejo enorme de beijá-las Que coisa bizarra, as sobrancelhas! As de Letizia movem-se junto com os olhos e são tão lindas que dão vontade de beijar tamanha perfeição, para depois escorregar até o rosto, as faces, a boca... Agora, eu sei: eu a desejo. Desejo o seu calor, sua pele, suas mãos, sua saliva, sua voz sussurrada. Queria acariciar sua cabeça, visitar sua ilhazinha com minha respiração, oferecer-lhe uma festa em todo o corpo. Mas me parece óbvio que eu fique bloqueada, para mim é uma coisa nova e com certeza não posso querer que ela sinta as mesmas sensações, quem sabe ela não sente? Não vou saber nunca. Ela me olhava e umedecia os lábios, seu olhar era irônico e eu me sentia rendida. Não a ela, mas aos meus caprichos.

— Você quer fazer amor, Melissa? — perguntou, enquanto eu tomava um gole de vinho.

Apoiei o copo na mesa, olhei para ela embaraçada e sacudi a cabeça num gesto de assentimento.

— Mas você vai ter que me ensinar...

Ensinar-me a fazer amor com uma mulher ou ensinar-me a amar? Talvez as duas coisas se compensem...

23 de fevereiro
5h45

Sábado de noite, ou melhor, domingo, pois a noite passou e o céu já clareou. Sinto-me feliz, diário, tenho no corpo tanta euforia, aplacada, porém, por uma sensação de beatitude, uma tranqüilidade plena e suave que me invade inteira. Esta noite descobri que transar com quem te agrada e te invade os sentidos é uma coisa sagrada, é ali que o sexo deixa de ser só sexo e começa a ser amor, ali, cheirando os pêlos perfumados de suas costas, ou acariciando seus ombros fortes e macios, alisando seus cabelos.

Eu não estava nem um pouco agitada, sabia o que estava fazendo. Sabia que iria desiludir os meus pais. Estava entrando no carro de um semidesconhecido de 27 anos, um atraente professor de matemática, um sujeito que incendiou os meus sentidos. Estava esperando por ele fora de casa, debaixo de um imponente pinheiro, e vi seu carro verde avançando devagar com ele dentro: usava um cachecol em volta do pescoço e o reflexo das lentes de seus óculos brilhava. Ao contrário daquilo que ele me disse há alguns dias, não esperei que ligasse para dizer o que eu tinha que vestir. Peguei a roupa de baixo na primeira gaveta, vesti e por cima coloquei um vestidinho preto. Olhei-me no espelho e fiz uma careta pensando que faltava alguma coisa: enfiei as mãos debaixo da saia e tirei a calcinha. Então sorri e sussurrei baixinho: "Assim você está perfeita", e mandei um beijinho para mim mesma.

Quando saí de casa, sentia o frio entrar por baixo da saia, o vento roçava provocante o meu sexo nu; ao entrar no carro, o professor me olhou com olhos iluminados e encantados e disse:

— Você não vestiu o que eu te mandei vestir.

Eu virei o olhar para a rua na minha frente e disse:

— Eu sei, desobedecer aos professores é a coisa que eu faço melhor.

Ele me deu um beijo meio barulhento na bochecha e partimos para um lugar secreto.

Eu continuava a escorregar os dedos pelos cabelos, ele talvez pensasse que fosse tensão, mas era apenas ansiedade. Ânsia de tê-lo ali mesmo, logo, sem nenhum pressuposto. Não sei do que falamos durante o trajeto, porque minha mente estava ocupada pelo pensamento de possuí-lo; olhei-o nos olhos enquanto dirigia, gosto dos olhos dele: têm cílios longos e negros, olhos intrigantes, magnéticos. Percebi que me lançava olhares furtivos, mas fiz de conta que não percebia, isso também faz parte do jogo. Depois chegamos ao paraíso, ou talvez ao inferno, depende do ponto de vista. Com sua caminhonete percorremos ruas e mais ruas desertas e estreitíssimas, nas quais me parecia impossível passar; passamos por uma igreja em ruínas e coberta de hera e musgo. Valerio disse:

— Vê se tem uma fonte à esquerda, o lugar fica na primeira travessa depois dela.

Examinei atentíssima a rua esperando encontrar logo a tal fonte dentro daquele escuro labirinto.

— Lá está ela! — exclamei um pouco alto demais.

Ele desligou o motor diante de um portão verde enferrujado e os faróis do automóvel ficaram iluminando uns escritos em cima dele; meus olhos deram com dois nomes inseridos num coração tremido: Valerio e Melissa.

Olhei para ele espantada e mostrei o que tinha lido.

Ele sorriu e disse:

— Não acredito! — Depois virou para mim e sussurrou: — Viu? Estamos escritos nas estrelas!

Não entendi o que ele quis dizer, mas aquele "estamos" me tranqüilizou, fez com que me sentisse parte de um todo cujos membros eram dois e iguais e não dois e diferentes como eu e o espelho.

Tive medo daquele paraíso porque era escuro, arruinado, impraticável sobretudo com botas altas como aquelas. Tentava me agarrar o máximo que podia nele, queria sentir seu calor. Tropeçamos várias vezes entre aquelas moitas, por aquelas trilhas mínimas e escuras, cercadas de muros, a única parte visível era o céu, estreladíssimo naquela noite, e a lua que aparecia e sumia, brincando como nós. Não sei por que, mas aquele lugar me inspirou sensações macabras e obscuras: eu pensava estupidamente, ou legitimamente, quem sabe, que em algum lugar perto dali estava ocorrendo uma missa negra da qual eu era a vítima designada; homens encapuzados iriam me amarrar numa mesa, eu seria circundada por velas e candelabros, depois me estuprariam em turnos e por fim me matariam com um punhal de lâmina sinuosa e afilada. Mas eu tinha confiança nele, talvez fossem pensamentos devidos à inconsciência daquele momento mágico. Aquelas ruazinhas que me davam tanto medo levaram-nos até uma clareira que dava para o mar. Era possível ouvir as ondas que espumavam nas margens. Havia umas rochas brancas, lisas e grandes: logo imaginei para que poderiam servir. Antes de chegar, tropeçamos mais uma vez; ele puxou-me para si aproximando o rosto, roçamos os lábios um do outro sem beijá-los, sentindo nossos cheiros e ouvindo nossas respirações. Nos aproximamos e devoramos nossos lábios, chupando, mordendo. Nossas línguas se encontraram: a dele era quente e macia, me acariciava por dentro como uma pluma, mas me fez sobressaltar. Os beijos esquentaram, até que ele perguntou se podia me tocar, se era o momento certo. Sim, respondi, é o momento. Ele parou quando descobriu que eu estava sem calcinha, ficou parado alguns segundos diante da minha carnuda nudez. Depois senti seus dedos que esfregavam aquele vulcão em erupção. Disse que queria saborear-me.

Sentei em cima de uma daquelas pedras e sua língua acariciou meu sexo como a mão de uma mãe acaricia a face do recém-nascido: devagar, suave, eu sentia o prazer inexorável e contínuo, denso e frágil ao mesmo tempo, a me derreter.

Ele se levantou e me beijou. Eu senti meu sabor em sua boca, senti que era doce. Eu já tinha roçado seu membro várias vezes: estava duro e grosso debaixo do *jeans*: ele se desabotoou e ofereceu seu pênis. Não, eu nunca tinha estado com um homem circuncidado, não sabia que a glande já ficava de fora, que se apresenta como uma ponta lisa e macia da qual eu não podia me impedir de chegar perto.

Levantei-me e, chegando perto de sua orelha, sussurrei:

— Me fode.

Ele também queria e me perguntou, enquanto eu saía da minha posição ajoelhada, com quem eu tinha aprendido a chupar assim, que o tinha enlouquecido com a minha língua de serpente.

Disse para eu virar de costas, com a bunda bem à mostra. Primeiro examinou-a, eu achei esquisito aquele gesto, mas seu olhar pousado em minhas curvas me excitou toda. Esperei a primeira metida com as mãos apoiadas na pedra fria e lisa. Ele se aproximou e mirou o alvo. Quis que ele me dissesse de que maneira eu estava me oferecendo: uma putinha de primeira. Dei um gemido de concordância que foi acompanhado de uma metida bem dada, seca. Depois me afastei daquele delicioso quebra-cabeça e, olhando para ele, implorante para senti-lo dentro de mim outra vez, disse que esperar alguns minutos antes de possuirmos um o corpo do outro intensificaria nosso prazer.

— Vamos para o carro — falei —, ficaremos mais confortáveis.

Atravessamos novamente o obscuro labirinto, mas dessa vez eu não tinha mais medo, sentia meu corpo atravessado por mil pequenos espíritos que se divertiam a me perseguir e a me fazer sentir ora angustiada, ora eufórica, de uma euforia inefável. Antes de entrar no carro, olhei de novo os nomes escritos no portão e sorri, deixando que ele entrasse primeiro. Despi-me logo, completamente, queria que cada célula de nosso corpo e de nossa pele ficasse em contato com a do outro e trocasse sensações novas, exaltantes. Sentei em cima dele e comecei a cavalgá-lo em metidas suaves e ritmadas alternadas com outras secas, duras, severas. Lambendo-o e beijando-o, ouvia seus gemidos. Seus gemidos me fazem morrer, perco o controle. É fácil perder o controle com ele.

— Somos dois dominadores — disse ele a certa altura. — Como faremos para dominar o outro?

— Dois dominadores se fodem e gozam um de cada vez — respondi.

Aumentei o ritmo e magicamente agarrei aquele prazer que nenhum homem antes soube me dar e que só eu mesma consigo obter. Senti espasmos por todo lado, no sexo, nas pernas, nos braços, até no rosto. Todo o meu corpo era uma festa. Ele tirou a camiseta e senti seu peito nu e áspero, quentíssimo, em contato com meus seios brancos e lisos. Esfreguei os mamilos naquela descoberta maravilhosa, acariciei-a com ambas as mãos para fazê-la totalmente minha.

Depois desci pelo seu corpo e ele me disse:

— Toca nele com o dedo.

Toquei, espantada, e vi seu membro lacrimejar. Instintivamente aproximei a boca e engoli aquele que é o esperma mais doce e açucarado que já experimentei.

Ele me abraçou por alguns instantes, e durante esse tempo que me pareceu imenso tive a impressão de tê-lo todo ali comigo. Em seguida, apoiou com carinho a minha cabeça no banco enquanto eu estava ali, nua, encolhida enrodilhada e iluminada pela lua.

Tinha os olhos fechados, mas assim mesmo conseguia perceber seu olhar sobre mim. Pensei que não era justo deixar os olhos em cima de mim todo aquele tempo, que os homens nunca estão satisfeitos com o corpo da gente, que além de acariciar, beijar, querem imprimi-lo na mente para que nunca se apague. Perguntava a mim mesma o que ele poderia sentir olhando meu corpo adormecido e parado; para mim não é preciso olhar, é importante experimentar, e eu, naquela noite, tinha experimentado. Tentei reprimir uma risada quando o ouvi resmungar reclamando que não achava o isqueiro e, com os olhos ainda fechados e a voz rouca, disse que o tinha visto voar do bolso da camisa quando ele a jogou para o banco de trás. Ele se limitou a me olhar por um mísero segundo e abriu a janela deixando entrar aquele frio que antes eu não sentia.

Em seguida, depois de muitos minutos de silêncio, falou soltando a fumaça do cigarro:

— Eu nunca tinha feito uma coisa assim.

Eu sabia a que coisa ele estava se referindo, sentia que tinha chegado o momento dos discursos que iriam comprometer ou, ao contrário, reforçar aquela perigosa, precária e excitante relação.

Aproximei-me devagar de suas costas, apoiando nelas a mão e na mão os lábios. Esperei um pouco antes de falar, mas sabia desde o primeiro instante o que tinha que dizer.

— O fato de nunca ter feito não quer dizer que seja errado.

— Mas também não é certo — disse ele aspirando a fumaça.

— E o que importa pra gente se é certo ou errado? O importante é que a gente está bem, que vive isso profundamente — mordi os lábios, consciente de que um homem adulto não daria ouvidos a uma menininha presunçosa.

Mas, ao contrário, ele se virou, jogou fora o cigarro e disse:

— É por isso que você me faz perder a cabeça: é madura, inteligente e a paixão que tem é sem limites.

É ele, diário. Ele reconheceu. A minha paixão, quero dizer. Levando-me de volta para casa, falou que era melhor que deixássemos de nos ver como professor e aluna, que ele não conseguiria mais me ver daquele modo e que, além disso, não gostava de misturar trabalho e prazer. Respondi que por mim tudo bem, beijei-o no rosto e abri o portão, enquanto ele esperava que eu entrasse.

24 de fevereiro

Hoje não fui à escola, estava cansada demais. E além do mais, hoje à noite tem a estréia do espetáculo, estou justificada.

Por volta da hora do almoço, recebi uma mensagem de Letizia dizendo que às 9 horas em ponto ela estaria lá me assistindo. Claro, Letizia... ontem eu tinha me esquecido dela. Mas como se faz para reunir a perfeição com a perfeição? Ontem eu tinha Valerio e me bastava; hoje estou sozinha e não me basto (por que não me basto mais sozinha?), quero Letizia.

PS: Aquele cretino do Fabrizio! Meteu na cabeça que queria vir me ver com a mulher! Ainda bem que não é tão louco assim, no final consegui convencê-lo a ficar em casa.

1h50

Esta noite não fiquei especialmente agitada, sentia-me dominada, aliás, pela apatia, não via a hora de tudo acabar. Todos os outros saltitavam, uns de medo, outros de contentamento, mas eu fiquei atrás da cortina espiando as pessoas que chegavam, verificando atenta se Letizia já tinha chegado. Não a vi, e Aldo, o cenógrafo, chamou dizendo que era hora de começar. Então apagaram-se as luzes da platéia e acenderam-se as do palco. Entrei em cena como uma flecha lançada pelo arco, irrompi em cena exatamente como o diretor tinha me pedido para fazer nos ensaios e eu nunca conseguia. Eliza Doolittle surpreendeu a todos, até a mim: mostrou-se com uma naturalidade de gestos e de expressão absolutamente nova, fiquei entusiasmada. Do palco, tentava encontrar Letizia sem conseguir. Esperei então o espetáculo acabar, os cumprimentos, os aplausos, e atrás das cortinas já fechadas examinei os espectadores para encontrar seu rosto. Lá estavam os meus pais, nas galerias, aplaudindo com força, e Alessandra, que eu não via há meses. Por sorte, nem sombra de Fabrizio.

Então a vi, seu rosto estava iluminado e alegre, batia palmas como uma condenada; gosto disso também, porque ela é espontânea, alegre, coloca nas coisas uma alegria de viver extrema, olhar seu rosto significa intensificar o próprio contentamento.

Aldo puxou-me pelo braço exclamando:

— Parabéns! Muito bem, tesouro! Anda, anda logo, vai mudar de roupa que vamos comemorar todos juntos — Ele tinha uma expressão doida e esquisita, comecei a rir alto.

Eu disse que não podia, que ia encontrar uma pessoa. Nesse mesmo momento, Letizia chegou com seu rostinho sorridente. Quando percebeu Aldo, sua expressão mudou, seu sorriso desapareceu, e os olhos encheram-se de nuvens. Olhei para Aldo e vi a mesma expressão séria tomar conta de seu rosto agora pálido. Fiquei girando a cabeça que nem uma doida, olhando de um para o outro, e depois perguntei:

— O que houve? O que deu em vocês?

Eles ficaram em silêncio, olhando um para o outro com olhos duros, quase ameaçadores.

Aldo falou primeiro:

— Não é nada não, podem ir. Eu digo aos outros que você não pode vir. Tchau, querida! — beijou-me na testa.

Confusa, olhei-o enquanto se afastava, virei-me para Letizia e perguntei:

— Posso saber o que está acontecendo? Vocês se conhecem?

Ela estava mais tranqüila, titubeou um instantinho, tentando fugir dos meus olhos. Abaixou o rosto, cobrindo-o com as mãos longas e afiladas.

Depois me olhou direto nos olhos e disse:

— Acho que você sabe que o Aldo é homossexual.

Todos nós sabemos, na escola, ele agora fala disso abertamente, portanto, respondi que sim.

— Mas e daí?

— Daí que faz algum tempo eu fiquei com um menino, depois... bom, depois a gente se conheceu, eu e o menino, quero dizer... O Aldo já suspeitava de alguma coisa — suas palavras eram lentas e fragmentadas.

— Suspeitava de quê? — perguntei curiosa e histérica ao mesmo tempo.

Ela me olhou com seus grandes olhos brilhando:

— Não, não consigo falar, desculpe... não consigo....

Virou os olhos para o outro lado e disse:

— Que eu não sou só lésbica...

E eu? O que eu sou? Uma mulher, nada mais, nada menos; no registro civil ainda sou muito pequena e, portanto, uma mulherzinha que procura abrigo e amor entre os braços de uma mulher.

Mas estou mentindo, diário, nunca permitiria que a minha cara-metade se parecesse tanto comigo, tenho que ser o único membro feminino do conjunto. O que olho e desejo em Letizia é só o seu corpo, a essência carnal, mas também, tenho que admitir, a espiritual. Toda ela me atrai, me intriga e me fascina, já se transformou na protagonista de muitas de minhas fantasias há algum tempo. O amor, o que procuro desde sempre, às vezes me parece tão distante, tão diferente de mim...

1º de março de 2002
23h20

Quando saí de casa, meu pai estava sentado no sofá olhando a telinha com expressão distante. Com ar apático, perguntou aonde eu ia, mas achei desnecessário responder, já que não importa o que eu dissesse, a expressão de seu rosto não mudaria, ele continuaria ali passivamente.

Se eu tivesse dito: "Vou à casa que um homem casado com quem estou trepando acabou de comprar", teria provocado o mesmo efeito da minha resposta:

— Vou estudar na casa da Alessandra.

Fechei a porta devagarinho, não queria perturbar os seus pensamentos abstratos distantes de mim.

Fabrizio já tinha me dado as chaves do apartamento e me disse para esperá-lo lá que ele chegaria depois do trabalho.

Eu ainda não tinha visto o apartamento, estava curiosíssima. Estacionei o *scooter* na frente do edifício e entrei no *hall* à meia-luz e deserto.

A voz da porteira perguntando quem eu procurava me fez estremecer e um calor imprevisto me surpreendeu.

— Sou a nova inquilina — falei alto, forçando bem as palavras e pensando bestamente que a porteira era surda. De fato, ela logo esclareceu:

— Não sou surda. Qual é o seu andar?

Pensei um pouco e depois disse:

— Segundo, o apartamento que o senhor Laudani comprou.

Ela sorriu e disse:

— Ah, sim! Seu pai pediu para te dizer que é melhor fechar a porta à chave quando entrar.

...Meu pai? Deixa estar, era inútil explicar que ele não era meu pai e, na verdade, bem desagradável.

Abri a porta e, no mesmo momento em que a chave estalou, pensei o quanto era estúpido e insensato aquilo que eu estava me obrigando a fazer. Eu era uma idiota de começar uma coisa que absolutamente não desejava.

Todo satisfeito, com aquela voz de imbecil, Fabrizio me disse que aquela tarde seria especial, que nós íamos inaugurar o "nosso refúgio de amor" com uma coisa memorável. Na última vez em que fiz alguma coisa que alguém me disse que ia ser memorável, acabei chupando o pau de cinco pessoas em um quarto escuro com cheiro de maconha. Hoje espero que pelo menos o tema mude. A entrada era bem pequena e bem sem graça, só um tapete vermelho que dava um pouco de cor. Dali dava para ver todos os outros cômodos, embora só em parte: o quarto, uma pequena sala de estar, uma cozinha mínima e uma despensa menor ainda. Evitei o quarto para não ver o telão que ele havia montado na frente da cama e fui direto para a sala. Passando pela despensa, não pude evitar ver três caixas coloridas que estavam no chão; então acendi a luz e entrei. Diante das caixas tinha um bilhetinho escrito em letras maiúsculas: ABRA AS CAIXAS E VISTA UMA DAS COISAS QUE ENCONTRAR. Aquilo me atraiu, despertou minha curiosidade.

Remexi nas caixas e, em poucas palavras, devo dizer que imaginação era o que não lhe faltava: na primeira tinha uma roupa de baixo branca e inocente, de renda, camisola transparente e calcinha, sensuais mas castas, um sutiã de armação. Um outro bilhetinho dizia: PARA UMA MENINA QUE PRECISA DE CARINHO. Primeira caixa descartada.

A segunda continha um fio dental rosa com plumas atrás como se fosse um rabinho de coelho, um par de meias de seda, sapatos vermelhos com salto vertiginoso e outro bilhete: PARA UMA COELHINHA QUE QUER SER CAPTURADA PELO CAÇADOR. Antes de descartá-la, eu precisava ver o que tinha na terceira.

Estava gostando do jogo, de ir descobrindo as vontades dele.

A terceira caixa foi a que escolhi: um macacão negro e brilhante de látex acompanhado de longas e altas botas de couro, um chicote, um vibrador preto e um tubinho de vaselina. Na caixa, além de alguns cosméticos, tinha o bilhetinho que dizia: PARA UMA SENHORA QUE QUER PUNIR O SEU ESCRAVO. Punição melhor que aquela não podia existir, ele tinha proposto por vontade própria. Mais embaixo, um PS: SE DECIDIR POR ESTA, SÓ DEVERÁ ME TELEFONAR DEPOIS DE VESTIDA. Não entendi o porquê desse pedido, mas por mim tudo bem, o jogo estava cada vez mais interessante: poderia fazê-lo vir e ir embora quando bem entendesse... ótimo!

Poderia mandá-lo tomar no cu sem remorso e sem culpa. Era desagradável ter que fazer aquele jogo intrigante justamente com ele, não achava que ele estivesse à altura, fiquei imaginando que ter todas aquelas oportunidades com o professor seria fantástico. Mas eu tinha que continuar, ele fez muita coisa para garantir algumas trepadas comigo, primeiro a casa, agora aqueles presentes. Vi o visor do celular piscando, era ele. Recusei a ligação e mandei uma mensagem dizendo que tinha escolhido a terceira caixa e quem iria chamá-lo era eu, depois.

Fui até a sala, abri a janela que dava para o balcão e deixei que um pouco de ar fresco mandasse embora o cheiro de coisa fechada, depois deitei no tapete de cores quentes e envolventes. O ar fresco, o silêncio, a luz difusa do sol que morria me fizeram companhia para uma soneca. Fechei lentamente as pálpebras e respirei a plenos pulmões até perceber minha própria respiração como uma onda que ia e vinha, arrebenta contra o rochedo e depois se retira novamente para a vastidão do mar. Um sonho me embalou e me manteve nos braços da paixão. Eu não conseguia distinguir o homem, e embora no sonho eu soubesse muito bem quem era, sua identidade na realidade me escapa. Seus traços eram indefinidos e estávamos engatados um no outro como uma chave na fechadura, como a enxada do camponês enfiada na terra rica e viçosa. Seu membro ereto, depois de ter amolecido por algum tempo, começa a dar os mesmos pinotes de antes, e minha voz despedaçada o fazia entender que aquele jogo me agradava. Meu desejo o entorpecia como se eu fosse um espumante fresco e frisante que produz a embriaguez necessária para que os sentidos toquem o ponto mais alto do céu.

Depois ele se sentia cada vez mais enfraquecido por meu corpo e por meus movimentos, tão rápidos e no entanto tão lentos que o faziam perder a noção do tempo. Afastei devagar a bunda do seu sexo, para que a flecha não saísse de repente da ferida aberta e avermelhada, e comecei a olhá-lo com meu sorriso de Lolita. Peguei de volta as tiras de seda que um pouco antes tinham servido para amarrar meus pulsos, dessa vez para prender os dele; suas pálpebras fechadas deixavam perceber o desejo de me possuir, forte e violento, mas entendi que ele queria esperar... esperar mais um pouco...

Peguei minhas meias negras, aquelas com as bordas rendadas, e amarrei seus tornozelos nos pés de duas cadeiras que aproximei da beira da cama. Agora ele estava aberto para o seu, e para o meu, prazer. No meio daquele corpo nu erguia-se a haste do amor, segura, dura e inexorável, que não tinha demorado para querer tomar posse mais uma vez da minha rosa secreta. Subi em cima dele, esfreguei minha pele na sua, percebendo os meus e os seus estremecimentos, os dois igualmente sacudidos por leves ondas de prazer, os bicos dos meus seios, duros, acariciando de leve o seu peito coberto de pêlos que faziam cócegas na minha pele lisa, sua respiração se encontrando com a minha, quente.

Passei a ponta dos dedos pelos seus lábios, massageando-os doce, vagarosamente... seus gemidos me permitiam medir o quanto meus dedos, em sua viagem, o excitavam. Deslizei um dedo para dentro da minha rosa molhada, umedecendo-o em seu orvalho, depois o passei na cabeça do pênis, rosa e excitada, que vibrou de leve no ar como a bandeira do comandante vencedor da batalha. Montada em cima dele, com a bunda virada para o espelho e refletida em seus olhos, abaixei o busto e sussurrei em sua orelha:

— Te quero.

Era bom vê-lo à mercê de meus desejos, deitado nu, com os lençóis brancos servindo de moldura para seu corpo teso e excitado... peguei o cachecol perfumado que usava quando entrei em casa e vendei seus olhos para que não pudessem ver o corpo que eu o obrigava a esperar.

Deixei-o ali muitos minutos. Minutos demais. Enlouquecia de vontade de cavalgar aquela haste sempre ereta, que não se cansava com a espera, eu queria fazê-lo esperar, esperar mais e mais. Finalmente levantei-me da cadeira da cozinha para voltar ao quarto onde ele me esperava amarrado. Ele conseguiu ouvir meus passos cuidadosamente abafados e silenciosos e deu um suspiro de gratidão. Moveu-se um pouco antes que meu corpo o engolisse lentamente dentro de si...

Quando acordei, o céu tinha um azul intenso e a lua já era visível, pendurada como uma unha finíssima no teto do mundo. Eu ainda estava excitada por causa do sonho. Peguei o celular e liguei para ele.

— Pensei que você não fosse ligar — disse ele preocupado.

— Só obedeço à minha vontade — respondi, cruel.

Ele disse que chegaria em 15 minutos e que eu deveria esperá-lo na cama.

Despi-me e deixei as roupas no chão do quartinho, peguei o conteúdo da caixa e vesti o apertado macacão que ficou grudado em mim, esticando e pinicando a pele. As botas chegavam exatamente à metade das coxas. Não entendi direito por que incluir também um batom vermelho vivo, um par de cílios postiços e um *blush* bem forte. Fui até o quarto me olhar no espelho e quando vi minha imagem, estremeci: lá estava a minha enésima transformação, a enésima submissão aos desejos proibidos e ocultos de alguém que não sou eu e que não me ama. Mas daquela vez seria diferente, eu teria uma recompensa digna: a sua humilhação. Na realidade, porém, ambos seríamos humilhados. Ele chegou um pouco depois do horário marcado, desculpou-se dizendo que teve que inventar toda uma mentira para a mulher. Pobre mulher, pensei, mas esta noite ele vai receber o seu castigo também por ela.

Ele me encontrou deitada na cama concentrada em observar uma mosca varejeira que batia contra a lâmpada do teto, produzindo um barulho chato. Pensei que as pessoas se jogam convulsamente contra o mundo igual àquele animal estúpido: fazem barulho, confusão, dão voltas ao redor das coisas sem agarrar nada completamente; algumas vezes confundem um desejo com uma armadilha e caem mortas, apodrecendo sob o refletor azul dentro da jaula.

Fabrizio largou a pasta no chão e ficou parado sob o batente da porta observando-me em silêncio. Seus olhos falavam de maneira eloqüente e a excitação por baixo das calças confirmava tudo: eu tinha que torturá-lo devagar, e com maldade.

Depois ele falou:

— Você já violentou minha cabeça, se instalou dentro de mim. Agora vai ter que me violentar o corpo, vai ter que deixar alguma coisa sua dentro de mim.

— Não acha que a essa altura dos acontecimentos já se sabe quem é o escravo, quem é o senhor? Sou eu quem decide o que fazer, você só tem que obedecer. Vem! — exclamei como a melhor das dominadoras.

Ele andou até a cama em passos longos e apressados e, observando o chicote e o vibrador em cima da mesinha de cabeceira, eu senti meu sangue ferver e um frenesi que me excitava. Queria saber que orgasmo sentiria e queria, mais que tudo, ver o sangue dele.

Nu, ele parecia um verme, tinha poucos pêlos, sua pele era brilhosa e mole, seu ventre inchado e grande em cima do sexo logo excitado. Pensei que lhe dar a mesma doce violência do sonho seria dar demais, ele merecia uma punição crua, má, forte. Mandei que se deitasse no chão de barriga para baixo, meu olhar era altivo e frio, distante, teria gelado o seu sangue nas veias se ele pudesse vê-lo. Ele se virou com o rosto pálido e suado e eu enfiei o salto da bota em sua pele, com força, nas costas. Sua carne foi flagelada pela minha vingança. Ele berrava, mas berrava baixinho, talvez chorasse, minha mente estava num estado tão confuso que eu não conseguia distinguir os sons e as cores a meu redor.

— A quem você pertence?

Um estertor prolongado e depois a voz quebrada:

— A você. Sou seu escravo.

Enquanto ele falava isso, meu salto foi descendo pela espinha e acabou no meio das nádegas, empurrando.

— Não, Melissa... Não... — disse ele, ofegando forte.

Não fui capaz de continuar, e então peguei os acessórios, esticando a mão para a mesinha e colocando-os em cima da cama. Virei-o de barriga para cima com um pontapé e reservei para seu peito o mesmo tratamento dado às costas.

— Vira! — ordenei novamente. Ele obedeceu e eu me sentei em cima de uma de suas coxas. Sem perceber, comecei a esfregar levemente o sexo apertado pelo macacão colante.

— Essa bocetinha deve estar toda molhada, deixa eu chupar, por favor... — pediu ele com um suspiro.

— Não — respondi com força.

Sua voz quebrou-se, e eu podia ouvi-lo me pedindo para continuar, para machucá-lo.

Minha excitação crescia, enchia meu espírito e depois saía novamente do meu sexo, provocando uma misteriosa exaltação. Eu o estava dominando e isso me deixava feliz. Feliz por mim e feliz por ele. Por ele, porque era aquilo que ele queria, um de seus maiores desejos. Por mim, porque foi como afirmar a minha pessoa, o meu corpo, a minha alma, eu toda inteira em cima de uma outra pessoa, sugando-a completamente. Peguei o chicote e deslizei primeiro o cabo, depois os fios de couro sobre sua bunda, sem bater; depois dei um primeiro golpe, leve, e senti seu corpo estremecer e se tensionar. Em cima de nós, a mosca continuava se jogando contra a lâmpada e, na minha frente, a cortina era quase arrancada pelo vento vindo da janela semicerrada. Um último golpe violento nas costas torturadas e vermelhas e peguei o vibrador. Nunca tinha segurado um, e não gostei. Espalhei o gel grudento em toda a superfície, impregnando meus dedos de falsidade, de não-naturalidade: era bem diferente de ver Gianmaria e Germano entrando devagar em seus respectivos corpos, com doçura, ternura, estar dentro de uma realidade diferente, mas reconfortante. Essa realidade, ao contrário, me enojava: tudo falso, tudo miseravelmente hipócrita. Hipócrita ele em relação à sua própria vida, sua família, verme ao se prostrar diante de uma menina. O vibrador entrou com dificuldade, e sob as minhas mãos eu senti que ele vibrava como se eu estivesse arrebentando alguma coisa: as suas vísceras. Eu o penetrava repetindo na cabeça algumas frases, como fórmulas pronunciadas durante um ritual.

Essa é por sua ignorância, uma metida, por sua frágil presunção, segunda metida, por sua filha que nunca vai saber que tem um pai assim, por sua mulher que fica perto de você à noite, por você não me compreender, por não me entender, por não ter percebido a essência fundamental de mim, que é a beleza. A beleza, aquela verdadeira, que todos temos e você não. Muitas metidas, todas duras, secas, lacerantes. Ele gemia embaixo de mim, berrava, chorava, e seu orifício se alargava, eu podia vê-lo vermelho de tensão e sangue.

— Perdeu o fôlego, seu bruto nojento? — perguntei com um esgar cruel.

Ele gritou forte, talvez tenha tido um orgasmo, e depois pediu:

— Chega, por favor.

E eu parei enquanto meus olhos se enchiam de lágrimas. Deixei-o em cima da cama, transtornado, destruído, completamente arrebentado. Vesti minhas roupas e na portaria cumprimentei a porteira. Não me despedi dele, nem o olhei, fui embora e basta.

Quando cheguei em casa, não me olhei no espelho e antes de ir dormir não dei as cem escovadas: ver o meu rosto acabado e meus cabelos emaranhados me causaria dor, dor demais.

4 de março de 2002

A noite foi cheia de pesadelos, especialmente um que me fez tremer.

Eu corria por um bosque escuro e árido perseguida por personagens obscuros e maléficos. Diante dos meus olhos erguia-se uma torre iluminada pelo sol, exatamente como Dante, que tenta chegar ao monte sem conseguir por causa do obstáculo das três feras. Só que não eram três feras que me impediam, mas um anjo presunçoso e seus diabos, e atrás deles um orco com o ventre cheio de corpos de meninas, mais além um monstro andrógino seguido por jovens sodomitas. Todos tinham a boca cheia de baba e alguns se arrastavam com dificuldade, esfregando os próprios corpos na terra seca. E eu corria, virando a toda hora, com medo de que algum deles me alcançasse; todos gritavam frases desconexas, impronunciáveis. A uma certa altura, não percebi um obstáculo bem na minha frente e gritei. Arregalando os olhos, notei o rosto bondoso de um homem que, tomando minha mão, levou-me por escuras passagens secretas até os pés da alta torre. Apontou com o dedo e disse:

— Suba as escadas e não se vire, no topo vai encontrar o que sempre procurou em vão no bosque.

— Como posso agradecer?

— Corra antes que eu me junte a eles! — gritou ele sacudindo a cabeça com força.

— Mas é você, você é meu salvador! Não preciso subir a torre, já o encontrei! — berrei, dessa vez cheia de alegria.

— Corra! — repetiu ele. Seus olhos mudaram, tornaram-se famélicos e vermelhos, e ele, babando, fugiu dali. E eu fiquei aos pés da torre com o coração despedaçado.

22 de março de 2002

Meus pais viajaram por uma semana e só voltam amanhã. Durante alguns dias, tive a casa só para mim e pude entrar e sair a hora que bem entendesse. No início, pensei em convidar alguém para passar a noite comigo, talvez Daniele, com quem falei uns dias atrás, ou Roberto, ou quem sabe ousaria chamar Germano ou Letizia. Resumindo, alguém que me fizesse companhia. Mas ao contrário, desfrutei da solidão, fiquei sozinha comigo mesma pensando em todas as coisas boas e todas as coisas ruins que aconteceram comigo nesses últimos tempos.

Eu sei, diário, que fiz mal a mim mesma, que não tive respeito por mim, pela minha pessoa, que eu digo que amo tanto. Não estou mais tão segura de me amar como antes: alguém que deixa qualquer homem violar seu corpo, sem nenhum objetivo preciso e nem pelo prazer de fazê-lo? Estou dizendo isso para contar um segredo, um triste segredo que eu preferiria, boba que sou, esconder de você, na ilusão de que poderia esquecer. Numa noite em que estava sozinha pensei que precisava desabafar e tomar um pouco de ar. Fui então ao *pub* onde sempre vou e entre um copo e outro de cerveja conheci um sujeito que me abordou com modos pouco simpáticos e pouco educados. Eu estava bêbada, minha cabeça girava e dei corda pra ele. Ele me levou até sua casa e quando fechou a porta, tive medo, um medo horrível, que fez o porre passar imediatamente. Pedi que me deixasse ir embora, mas ele não deixou, obrigando-me com olhos enlouquecidos e pequenos a tirar a roupa. Cheia de medo, obedeci e fiz tudo que ele me mandou fazer. Penetrei-me com o vibrador que ele pôs na minha mão, sentindo as paredes da minha vagina queimarem horrivelmente como se me arrancassem a pele. Chorei quando ele me ofereceu seu membro pequeno e mole e, segurando minha cabeça com uma das mãos, me obrigou a fazer o que ele queria. Não conseguiu gozar, eu já sentia as mandíbulas doloridas quando ele adormeceu de repente.

Jogou-se na cama e adormeceu na mesma hora. Instintivamente, olhei para a mesinha de cabeceira esperando encontrar o dinheiro que caberia a uma boa puta. Fui até o banheiro, lavei o rosto sem ter coragem de olhar nem que fosse por um segundo a minha imagem refletida: teria visto o monstro em que todos querem que eu me transforme. E não posso permitir que isso aconteça, não posso permitir a eles. Estou suja, só o Amor, se é que existe, poderá me limpar de novo.

28 de março

Ontem contei a Valerio o que aconteceu na outra noite. Esperava que ele dissesse "Já estou chegando aí", para tomar-me em seus braços e me ninar, sussurrar que eu não precisava me preocupar com nada, que seríamos só eu e ele. Mas nada disso: ele disse em tom de censura, áspero, que sou uma estúpida, uma babaca, e sou mesmo, é verdade, porra! Mas já chega eu me culpando, não quero saber dos sermões dos outros, só quero alguém que me abrace e que faça com que eu me sinta bem. Esta manhã ele apareceu na saída da escola, eu não esperava uma surpresa dessas. Chegou de moto, cabelos ao vento e óculos escuros que cobriam seus olhos maravilhosos; eu estava tagarelando com alguns colegas. Tinha os cabelos em desordem, a mochila pesada nas costas e o rosto vermelho. Quando o vi chegar, com seu sorriso descarado e cativante, fiquei estatelada, parada um instante de boca aberta. Rapidamente pedi licença aos amigos e corri pela rua para falar com ele. Joguei-me em cima dele, espontânea e muito eloqüente. Ele disse que queria me ver, que sentia falta do meu sorriso e do meu perfume, que estava numa espécie de crise de abstinência de Lolita.

— O que os homogeneizados estão olhando? — perguntou, indicando com a cabeça os meninos da pracinha.

— Quem? — perguntei.

Explicou que era assim que chamava os jovens, todos iguaizinhos, todos membros do mesmo, enorme rebanho, era um modo de diferenciá-los do mundo adulto.

— Bem, você tem um modo bem esquisito de nos definir... de qualquer jeito, eles estão olhando a sua moto, o seu charme, e sentindo inveja de mim porque estou falando com você. Amanhã vão perguntar: quem era aquele cara com quem você estava falando?

— E você vai dizer? — perguntou ele, certo da resposta.

E como aquela segurança me irritava, respondi:

— Talvez sim, talvez não. Depende de quem e de como perguntar.

Eu olhava a língua dele umedecendo os lábios, olhava os cílios longos e negros de criança e seu nariz que parece uma cópia perfeita do meu. E olhava seu pênis que endureceu assim que me aproximei de seu ouvido e sussurrei:

— Quero ser possuída, agora, na frente de todo mundo.

Ele me olhou, sorriu esticando nervosamente os lábios como se quisesse conter uma excitação convulsiva e disse:

— Loly, Loly... você quer me enlouquecer?

Respondi que sim com um movimento lento de cabeça e esboçando um sorriso.

— Deixa eu sentir o seu perfume, Lo.

Ofereci meu pescoço branco e ele cheirou, enchendo os pulmões com meu perfume de baunilha e almíscar, depois disse:

— Já vou embora, Lo.

Ele não podia ir, dessa vez eu ia jogar até o final.

— Quer saber a cor da calcinha que estou usando?

Ele estava para ligar o motor, mas me olhou espantado e com a mente enevoada respondeu que sim.

Virei a cintura da calça comprida, desabotoando um pouco, e ele percebeu que eu não usava calcinha nenhuma. Olhou-me buscando uma resposta.

— Eu saio muitas vezes sem calcinha, eu gosto — respondi. — Lembra? Eu também estava sem na noite em que a gente transou pela primeira vez.

— Você me enlouquece.

Aproximei-me de seu rosto mantendo uma distância mínima e, por isso mesmo, perigosa.

— É — falei, olhando-o dentro dos olhos —, é o que pretendo fazer.

Ficamos olhando um para o outro sem dizer palavra durante alguns minutos; ele de vez em quando sacudia a cabeça e sorria. Voltei a me aproximar de seu ouvido e disse:

— Me estupra, hoje à noite.

— Não, Lo, é perigoso.

— Me estupra — repeti, maliciosa e imponente.

— Onde, Mel?

— No lugar em que a gente foi da primeira vez.

29 de março
1h30

Desci do carro e bati a porta, deixando ele lá dentro. Encaminhei-me por aquelas trilhas escuras e estreitas. Ele esperou um pouco antes de começar a me seguir, eu me vi sozinha percorrendo aquele calçamento malfeito, ouvia o barulho do mar lá longe, depois mais nada. Olhava as estrelas e tinha a impressão de que devia captar o som delas também, imperceptível, seres que brilham intermitentemente. Depois o motor e os faróis de seu carro. Mantive a calma, queria que tudo acontecesse como eu tinha programado: ele carrasco, eu vítima. Vítima no corpo, humilhada e submetida. Mas a mente, a minha e a dele, sou eu quem comando, só eu. Quero tudo isso, sou eu quem mando, a senhora. Ele é um falso senhor, um senhor meu escravo, escravo dos meus quereres e dos meus caprichos.

Ele estacionou o carro, desligou os faróis e o motor e desceu. Por alguns instantes, pensei que tinha ficado sozinha novamente, não ouvia nada...

Ah, lá vinha ele: chegava com passos lentos e tranqüilos, mas sua respiração era veloz e ofegante. Eu o ouvi por trás de mim, ele respirou no meu pescoço. Começou a me seguir com mais pressa, correu atrás de mim e, agarrando-me por um braço, jogou-me contra um muro.

— Senhoritas com lindas bundinhas não andam sozinhas pela rua. — Sua voz tinha mudado.

Com uma das mãos, segurava meu braço, machucando, e com a outra empurrava minha cabeça contra a parede, apertando com força o meu rosto contra a superfície rugosa e enlameada.

— Parada! — ordenou.

Eu esperei o movimento seguinte, estava excitada, mas assustada também. Perguntava o que sentiria se quem estivesse me violentando fosse um desconhecido de verdade, e não o meu doce professor. Depois apaguei esse pensamento, lembrando de algumas noites atrás e de todas as violências contra a alma a que fui submetida tantas vezes... queria mais violência, violência até não poder mais. Me acostumei, talvez não consiga mais passar sem isso; seria estranho se um dia a doçura e a ternura batessem na minha porta e me pedissem para entrar. A violência me mata, me estraga, me suja e se nutre de mim, mas com e por ela sobrevivo, dela me alimento.

Ele usou a mão livre para remexer no bolso das calças. Apertava com força os meus pulsos brancos, me largou por um instante e pegou um objeto no bolso. Uma venda, com a qual enfaixou a parte superior do meu rosto, cobrindo os olhos.

— Assim você fica linda — disse ele —, estou levantando a sua saia, linda putinha, não fala e não grita.

Eu sentia suas mãos entrando na minha calcinha e seus dedos acariciando meu sexo. Depois ele me deu uma palmada violenta, que me fez gemer de dor.

— Não, senhora... eu já disse que não queria ouvir nenhum tipo de som.

— Na verdade, você disse para eu não falar e não gritar, e eu gemi — sussurrei, consciente de que seria punida com uma palmada.

De fato, ele me deu uma palmada ainda mais forte, mas eu não emiti um som sequer.

— Muito bem, Loly, boa menina.

Ele se inclinou, mantendo-me segura com as mãos, e começou a me beijar a bunda, onde havia batido com tanta violência. Quando começou a me lamber devagarinho, meu desejo de ser possuída cresceu, e eu não conseguia detê-lo. Então arrebitei a bunda para que ele entendesse a minha vontade.

Como resposta, veio uma outra palmada.

— Quando eu mandar — ordenou.

Eu só conseguia perceber os sons e suas mãos no meu corpo, ele tinha me privado da visão e agora do prazer absoluto.

Soltou meus pulsos e apoiou-se completamente em cima de mim. Com ambas as mãos, agarrou meus seios, livres de qualquer coisa que pudesse envolvê-los. Agarrou-os com força, machucando, apertava com os dedos que pareciam pinças ardentes.

— Devagar — sussurrei com um fio de voz.

— Não, vai ser como eu mandar. — E voou uma outra palmada violentíssima. Enquanto enrolava minha saia até os quadris, ele falou: — Eu queria resistir mais, mas não consigo. Você me provoca demais e só consigo seguir o que você quer.

Com uma estocada, penetrou-me a fundo, enchendo-me completamente com sua excitação, sua paixão incontrolável.

Um orgasmo forte, fortíssimo, sacudiu meu corpo, e me deixei cair contra o muro, arranhando a pele; ele me segurou e pude sentir sua respiração quente no meu pescoço, sua ânsia fazia com que me sentisse bem.

Ficamos um tempão daquele jeito, tempo demais, tempo que eu queria que nunca acabasse. Voltar para o carro foi retornar à realidade, fria e cruel, uma realidade da qual naquele momento percebi que era inevitável fugir: eu e ele, o enlace de nossas almas tinha que acabar ali, as circunstâncias nunca permitiriam que nenhum de nós dois estivesse completamente dentro do outro.

Durante o trajeto de volta, parados no trânsito que enlouquece Catânia de noite, ele olhou para mim, sorriu e disse:

— Loly, eu gosto de você. — Pegou minha mão, levou-a à boca e a beijou. Loly não, Melissa. Ele gosta de Loly, de Melissa nunca ouviu nem falar.

4 de abril de 2002

Diário,

escrevo num quarto de hotel: estou na Espanha, em Barcelona. É um passeio da escola e estou me divertindo muito, embora a professora, azeda e obtusa, me olhe torto quando digo que não quero visitar os museus, que na minha opinião é uma perda de tempo. Odeio visitar um lugar só para conhecer a história. OK, certo, tem a sua importância, mas depois o que faço com ela? Barcelona é tão viva, alegre, mas com um fundo de melancolia. Parece uma bela mulher, fascinante, com olhos profundos e tristes que escavam dentro da alma. Parece comigo. Gostaria de andar pelas ruas noturnas cheias de bares e lotadas de gente de todo tipo, mas me obrigam a passar a noite numa discoteca, onde, se tudo correr bem, conseguirei no máximo conhecer alguém que ainda não esteja totalmente desfeito pelo álcool. Não gosto de dançar, me chateia. No meu quarto está a maior bagunça: tem gente pulando na cama, gente preparando sangria, gente vomitando no banheiro. Já estou indo, Giorgio me arrasta por um braço.

7 de abril

Penúltimo dia, não quero voltar para casa. Esta é a minha casa, me sinto bem, segura, feliz, compreendida pelas pessoas, embora não falemos a mesma língua. É reconfortante não ter que ouvir o telefone tocar numa ligação de Fabrizio ou de Roberto e não ter que dar uma desculpa para não sair com eles. É reconfortante conversar até tarde com Giorgio sem ser obrigada a me enfiar na cama dele e entregar meu corpo.

Onde foi parar você, a Narcisa que se amava tanto e tanto sorria, tanto queria dar e mais ainda receber? Onde acabaram seus sonhos, suas esperanças, suas loucuras, loucuras de vida, loucuras de morte? Onde está você, imagem refletida no espelho, onde posso te procurar, te encontrar, como te segurar?

4 de maio de 2002

Hoje Letizia apareceu na saída da escola. Veio ao meu encontro com o rosto redondo emoldurado por grandes óculos escuros, parecidos com os que eu via nas fotos da minha mãe nos anos 70. Com ela estavam duas meninas, claramente lésbicas.

Uma delas se chama Wendy, tem a mesma idade que eu, mas pelo olhar parece mais velha. A outra, Floriana, é um pouco mais nova que Letizia.

— Me deu vontade de te ver — disse Letizia, olhando fixo nos meus olhos.

— Você fez bem em vir, eu também queria te ver — respondi.

Nesse meio tempo, todo mundo saiu da escola e foi para os banquinhos da praça: os meninos, curiosos, olhavam para nós e murmuravam rindo entre si; as "comadres de Santo Hilário", beatas, azedas e ignorantes como ninguém, olhavam torcendo o nariz e os olhos. Eu parecia ouvir as frases delas: "Nossa, você viu com quem ela está andando agora? Eu sempre disse que ela era esquisita...", enrolando as trancinhas que mamãe tinha feito de manhã antes da escola.

Letizia entendeu meu mal-estar e disse:

— Estamos indo almoçar na associação. Quer vir conosco?

— Que associação?

— ...Lésbico-*gay*. Eu tenho a chave, só vai ter a gente.

Aceitei e fui pegar meu *scooter*. Letizia pulou atrás, apertando os seios nas minhas costas, o hálito em meu pescoço. Rimos muito no caminho, eu derrapava a toda hora porque não estava habituada a carregar peso, ela mostrava a língua para as velhotas e me apertava a cintura com os braços.

Quando Letizia abriu a porta, parecia que um mundo especial se apresentava diante dos meus olhos. Não era diferente de uma casa, uma casa que não era propriedade de ninguém, mas de toda a comunidade *gay*. Tinha tudo e mais um pouco, pois na estante, junto com os livros, havia uma caixa grande cheia de preservativos e, na mesa, revistas *gays* e de moda, mais algumas de automóveis e outras de medicina. Um gato passeava pelos quartos, se esfregava em qualquer perna e eu o acariciei como fazia com Morino, meu amado e lindíssimo gato (que agora está aqui, esparramado em minha escrivaninha, posso ouvi-lo respirar).

Estávamos com fome, e então Letizia e Floriana disseram que iam comprar uma *pizza* na loja da esquina. Quando estavam saindo, Wendy me olhou com a cara alegre e abobalhada, caminhava saltitando, parecia uma espécie de duende maluquinho. Tive medo de ficar sozinha com ela, fui até a porta e chamei Letizia com um grito, dizendo que queria lhe fazer companhia, que era um saco ficar esperando. Minha amiga intuiu tudo e com um sorriso convidou Floriana a voltar para casa. Enquanto esperávamos que as *pizzas* ficassem prontas, falamos pouco, e eu disse:

— Merda, estou com os dedos gelados!

Ela me olhou maliciosamente, mas com ironia, e falou:

— Humm... Ótima informação, não vou esquecer!

Na volta, encontramos um amigo de Letizia. Tudo nele era meigo: o rosto, a pele, a voz. A doçura infinita que vinha dele me deu uma felicidade por dentro. Entrou conosco e ficamos conversando um pouco no sofá, enquanto as outras punham a mesa. Disse que trabalha num banco, embora sua gravata, decididamente ousada, contrastasse com o frio mundo dos bancos. Sua voz parecia triste, mas achei que era muito indiscreto perguntar o que ele tinha. Eu me senti igual a ele. Depois Gianfranco foi embora e ficamos nós quatro ao redor da mesa, conversando e rindo. Ou melhor, só eu tagarelava sem parar, enquanto Letizia me seguia atenta e às vezes desconcertada, quando eu falava de algum dos homens com os quais tinha ido para a cama.

Em seguida me levantei e fui para o jardim, arrumado mas não propriamente organizado, que tinha umas palmeiras altas e estranhas árvores de tronco espinhoso e flores grandes e cor-de-rosa na copa. Letizia veio até onde eu estava e me abraçou por trás, roçando meu pescoço com um beijo.

Virei-me instintivamente e encontrei sua boca: quente, macia, extremamente suave. Agora entendo por que os homens gostam tanto de beijar uma mulher: a boca de uma mulher é toda inocente, pura, já os homens sempre me deixaram um fio viscoso de saliva, enchendo a minha boca com sua língua. O beijo de Letizia era diferente, era aveludado, fresco, mas ao mesmo tempo intenso.

— Você é a mulher mais bonita que eu já tive — disse ela, segurando-me pelo rosto.

— Você também — respondi, mas não sei por que disse isso, era supérfluo, já que ela tinha sido a única mulher!

Letizia tomou o meu lugar e agora era eu quem dirigia o jogo, esfregando meu corpo no dela. Abracei-a forte, respirando o seu perfume, e ela me levou para o outro quarto, abaixou minhas calças e acabou com a doce tortura que tinha começado algumas semanas antes. Sua língua me derretia, mas a idéia de ter um orgasmo na boca de uma mulher me fazia estremecer. Enquanto sua língua me lambia e ela estava de joelhos embaixo de mim, concentrada no meu prazer, fechei os olhos e, com as mãos encolhidas como as patinhas de um coelho assustado, lembrei-me do homenzinho invisível que fazia amor comigo nas minhas fantasias de menina. O homenzinho invisível não tem rosto, não tem cores, é só um sexo e uma língua que uso a meu bel-prazer. Foi aí que meu orgasmo chegou com força, ofegante. Sua boca estava cheia dos meus sucos e quando abri os olhos, vi, maravilhosa surpresa, que ela, com uma das mãos dentro da calcinha, se contorcia com o prazer que chegava para ela também, talvez mais consciente e sincero do que tinha sido o meu.

Depois nos deitamos no sofá e acho que dormi um pouco. Quando o sol já tinha caído e o céu escurecido, ela me acompanhou até a porta e eu falei:

— Lety, vai ser melhor a gente não se ver mais.

Ela concordou com a cabeça, sorriu de leve e disse:

— Eu também acho.

Trocamos um último beijo e, voltando para casa no *scooter*, me senti usada pela enésima vez, usada por alguém e por meus maus instintos.

18 de maio de 2002

Parece que estou ouvindo a voz quente e tranqüilizadora da minha mãe me contando uma história, porque eu estava de cama com gripe:

— Uma coisa difícil e não desejada pode se revelar uma grande dádiva. Sabe, Melissa, muitas vezes a gente recebe, sem saber, um presente. Esse conto narra a história de um jovem rei que assume o governo de um reino; ele já era muito amado antes mesmo de se tornar rei, e os súditos, felizes com sua coroação, levaram muitos presentes para ele. Depois da cerimônia, o novo rei estava jantando no seu palácio quando, de repente, ouviu baterem à porta. Os criados saíram e encontraram um velho vestido como um miserável, parecendo um mendigo, que desejava ver o rei. Fizeram de tudo para dissuadi-lo, mas foi inútil. Então o rei decidiu sair para encontrá-lo: o velho cobriu-o de elogios, dizendo que o rei era belíssimo e que todos no reino estavam felizes por tê-lo como soberano. Ele havia lhe trazido de presente um melão. O rei detestava melão mas, para ser gentil com o velho, aceitou e agradeceu. O homem então foi embora satisfeito. O rei voltou ao palácio e entregou a fruta aos criados para que a jogassem no jardim.

Na sétima semana depois daquele dia, na mesma hora, bateram novamente à porta. O rei foi de novo chamado e o mendigo mais uma vez o elogiou e deu-lhe um outro melão. O rei aceitou, cumprimentou o velho e, mais uma vez, jogou o melão no mesmo jardim. A cena se repetiu durante várias semanas: o rei era gentil demais para ofender o velho ou desprezar a generosidade de seu presente.

Então, certa noite, justamente quando o velho estava para entregar o melão ao rei, um macaco pulou do pórtico do palácio e fez o fruto cair de suas mãos: o melão partiu-se em mil pedaços contra a fachada do palácio. Quando o rei olhou, viu uma chuva de diamantes cair de dentro do melão. Ansioso, correu até o jardim: todos os melões haviam se desfeito liberando uma montanha de pedras preciosas.

Eu a interrompi dizendo:

— Posso deduzir eu mesma a moral da história? — Estava entusiasmada com o lindo conto.

Ela sorriu e disse:

— Claro!

Respirei fundo como respiro toda vez que me preparo para dizer a lição na escola:

— Às vezes as situações incômodas, os problemas ou as dificuldades escondem uma oportunidade de crescimento: muitas vezes no coração da dificuldade brilha a luz de uma preciosa jóia. É prova de sabedoria acolher o que é desagradável e difícil.

Ela sorriu de novo, acariciou meus cabelos e disse:

— Você cresceu, pequerrucha. Você é uma princesa.

Eu queria chorar, mas me segurei. Minha mãe não sabe que os diamantes do rei foram para mim as cruas bestialidades de homens grosseiros e incapazes de amar.

20 de maio

Hoje o professor veio me encontrar novamente na frente da escola. Eu estava esperando por ele e entreguei-lhe uma carta junto com uma calcinha especial.

Essa calcinha sou eu. É a coisa que melhor me descreve. De quem poderia ser, estranha e assim desenhada, com um lacinho pendurado de cada lado, senão de uma pequena Lolita?

Mas essa calcinha, além de me pertencer, é o meu corpo e eu.

Já me aconteceu muitas vezes de fazer amor usando-a, talvez nunca com você, mas não importa... Esses lacinhos são um obstáculo para meus instintos e meus sentidos, são amarras que, além de deixar marcas na pele, bloqueiam os meus sentimentos... Imagine o meu corpo seminu usando apenas essa calcinha: desfeito o nó, só uma parte de mim vai se libertar, a Sensualidade. O espírito de Amor ainda enfrenta o obstáculo do nó do lado esquerdo. E então, aquele que desfez o laço da parte da Sensualidade só verá em mim a mulher, a menina ou, de um modo mais geral, a fêmea, que só pode receber sexo, nada mais. E ele me possui apenas pela metade e é justamente o que desejo na maior parte dos casos. Se alguém desfizer apenas o laço do Amor, eu também só poderei dar uma parte de mim, uma parte mínima, embora profunda. Depois, num dia qualquer da vida, surge aquele carcereiro que te entrega as duas chaves para liberar seus espíritos: Sensualidade e Amor estão livres e voam. Você se sente bem, livre e satisfeita, e sua mente e seu corpo não pedem mais nada, não te atormentam mais com suas exigências. Como um suave segredo, eles são liberados por uma mão que sabe como acariciar, que sabe como fazer vibrar, e basta o pensamento daquela mão para encher de calor o corpo e a mente.

Sinta agora o cheiro daquela parte de mim que está exatamente no centro, entre Amor e Sensualidade: é a minha Alma que sai e transpira pelos meus sucos.

Você tinha razão quando dizia que eu nasci para trepar, como pode ver, até mesmo a minha Alma quer se sentir desejada e exala o seu cheiro, cheiro de fêmea. Talvez a mão que liberou meus espíritos seja a sua, professor.

E ouso dizer que somente o seu olfato foi capaz de captar o meu suco, a minha Alma. Não brigue comigo, professor, se estou me comprometendo, sinto que tenho que fazer isso, pelo menos no futuro não vou sentir remorso por perder alguma coisa sem tentar agarrá-la. Essa coisa faz ranger dentro de mim uma porta que não foi bem lubrificada, o barulho é ensurdecedor. Quando estou com você, nos seus braços, eu e a minha calcinha estamos livres de qualquer impedimento ou corrente. Mas, em seu vôo, os espíritos esbarram num muro: o horrível e injusto muro do tempo que passa lentamente para um, veloz para o outro, uma série de cifras que os mantêm distantes. Espero que a sua inteligência matemática possa ajudar na solução dessa tremenda equação. Mas não é só isso: você só conhece uma parte de mim, embora tenha liberado duas. E não é essa a parte que eu queria deixar viver, não somente. Você decide se devemos dar uma reviravolta em nossa relação, se devemos torná-la mais... "espiritual", um pouquinho mais profunda. Confio em você.

Sua,
Melissa

23 de maio
15h14

Onde está Valerio? Por que me deixou sem nem um beijo sequer?

29 de maio de 2002
2h30

Estou chorando, diário, chorando de tanta alegria. Eu sempre soube que a alegria e a felicidade existiam. Algo que busquei em tantas camas, em tantos homens, até numa mulher, que procurei em mim mesma e depois perdi por minha própria culpa. E no lugar mais anônimo e mais banal eu encontrei. E não em uma pessoa, mas no olhar de uma pessoa. Eu, Giorgio e outros fomos ao lugar novo que abriu há pouco tempo, bem debaixo da minha casa, a 50 metros do mar. É um lugar árabe, tem dançarinas de dança do ventre ao redor das mesas, dançando e servindo os pedidos, e almofadas no chão, tapetes, luz de vela e perfume de incenso. Estava cheíssimo e resolvemos esperar que vagasse alguma mesa para sentar. Eu estava encostada em um lampião, pensava no telefonema de Fabrizio, que tinha acabado mal: eu disse que não queria nada dele, que não queria vê-lo nunca mais.

Ele começou a chorar e disse que me daria tudo, mas especificando bem o que era: dinheiro, dinheiro, dinheiro.

— Se é isso o que você tem para dar a um ser humano, não sou eu quem vai querer receber. De qualquer jeito, agradeço a oferta — exclamei com ironia, batendo o telefone na cara dele. E não aceitei as suas chamadas e nunca mais vou aceitar, juro. Odeio aquele homem; é um verme, sujo, não quero mais me entregar pra ele.

Estava pensando nisso tudo e em Valerio, tinha as sobrancelhas franzidas e os olhos fixos em um ponto indefinido. Depois, afastando-me dos pensamentos desagradáveis, cruzei o olhar com o dele, que me observava não sei há quanto tempo e era leve e meigo. Eu olhava para ele e ele para mim em intervalos de tempo bastante breves, desviávamos os olhos sem conseguir evitar que caíssem de novo um no outro. Seus olhos eram profundos e sinceros e dessa vez não me iludi criando fantasias absurdas para me machucar e me punir, dessa vez eu acreditei de verdade, eu via os seus olhos, eles estavam bem ali, me fitavam, e pareciam dizer que queriam me amar, que queriam me conhecer de verdade. Pouco a pouco comecei a observá-lo melhor: estava sentado de pernas cruzadas, um cigarro entre os dedos, lábios carnudos, nariz um pouco pronunciado, mas interessante, e uns olhos de príncipe árabe. O que ele me oferecia era meu, só meu. Não olhava para nenhuma outra, olhava para mim, e não como qualquer homem costumava me olhar na rua, mas com sinceridade e honestidade. Não sei por que estranho motivo me escapou uma risada alta demais, não consegui me conter; a felicidade era tão grande que não dava para me limitar a um sorriso. Giorgio olhou para mim achando graça, perguntando o que tinha me dado. Com um gesto da mão, eu disse para ele não se preocupar e me abracei com ele para justificar minha repentina explosão. Virei de novo e vi que ele estava sorrindo, oferecendo a visão de seus esplêndidos dentes brancos. Foi então que me acalmei e disse para mim mesma: "Vamos, Melissa, faz ele fugir, vai! Mostra que você é uma estúpida, uma idiota e uma ignorante... E principalmente vai logo dando pra ele, vai, não o deixe esperando!".

Enquanto eu pensava, uma menina passou do lado dele e fez um carinho em seus cabelos. Ele olhou para ela um mísero segundo e se ajeitou para me ver melhor.

Giorgio me distraiu:

— Meli, vamos para outro lugar. Estou de saco cheio, não agüento mais esperar.

— Só mais dez minutos, Giorgiozinho, por favor, logo vai liberar uma mesa, você vai ver... — respondi, pois não queria me afastar daquele olhar.

— Mas que vontade toda é essa de ficar aqui? Algum homem na parada?

Sorri um pouco e assenti.

Ele suspirou e disse:

— A gente já falou um bocado sobre isso, Melissa, fique tranqüila um tempinho, as coisas boas vão chegar por elas mesmas.

— Desta vez é diferente. Por favor... — Eu falava como uma menininha mimada.

Ele suspirou mais uma vez e disse que eles iam dar uma volta pelos lugares ali perto, mas que, se tivesse mesa em algum, não tinha conversa: eu iria com eles.

— OK! — falei, certa de que não encontrariam mesa de jeito nenhum, em lugar nenhum. Vi que entravam numa sorveteria com sombrinhas japonesas em cima de cada mesa e voltei a me encostar no poste, tentando ao máximo não olhar para ele. De repente, vi que ele se levantava e tenho quase certeza de que fiquei com a cara roxa de tão vermelha, não sabia o que fazer, estava completamente sem graça. Virei para o lado da rua e fiz de conta que esperava alguém, olhando todos os carros que chegavam. Minhas calças compridas de seda indiana esvoaçavam sopradas pelo leve vento do mar.

A sua voz, quente, profunda, estava atrás de mim e perguntou:

— O que você está esperando?

De repente, pensei numa antiga cantiga que li, quando era pequena, numa fábula que meu pai trouxe de uma viagem. De maneira espontânea e inesperada, recitei virando na direção dele:

— Espero, espero na noite escura, e abro a porta, pois alguém bate. Depois da má vem a boa sorte e com ela quem não sabe a arte.

Ficamos em silêncio, sérios. Depois começamos a rir. Ele estendeu sua mão macia e eu apertei de leve, mas com determinação.

— Claudio — disse ele, sempre me olhando nos olhos.

— Melissa — consegui responder não sei como.

— O que foi que você disse antes mesmo?

— O quê?... Ah, antes! É a cantiga de uma fábula, eu sei de cor desde que tinha sete anos.

Ele sacudiu a cabeça para dizer que tinha entendido. Um silêncio interrompido pelo meu simpático e desajeitado amigo, que chegou correndo para dizer:

— Vamos, sua doida, a gente encontrou um lugar, estamos te esperando.

— Tenho que ir — sussurrei.

— Posso bater na sua porta? — perguntou ele baixinho.

Olhei, espantada com tanta audácia que não era presunção, mas vontade de que as coisas não acabassem por ali mesmo.

Concordei com os olhos meio molhados e disse:

— Eu ando muito por aqui, moro bem aqui em cima — falei indicando a minha varanda.

— Então eu venho fazer uma serenata — brincou ele piscando o olho.

Nos despedimos e eu não me virei para olhá-lo de novo, embora tivesse vontade. Tinha medo de estragar tudo.

Depois Giorgio perguntou:

— Quem era esse cara?

Eu sorri e disse:

— É aquele que chega e não sabe a arte.

— Hã!

Sorri de novo, apertei suas bochechas e falei:

— Você logo vai descobrir, pode ficar calmo.

4 de junho de 2002
18h20

Sem brincadeira, diário! Ele realmente fez uma serenata pra mim! As pessoas passavam e ficavam olhando, curiosas, eu ria na minha varanda como uma louca enquanto um homem rechonchudo tocava um violão um pouco gasto e ele cantava, desafinado como só, a canção que me encheu os olhos e o coração: a história de um homem que de tanto pensar na amada não consegue dormir, e a melodia é tocante e delicada. Diz mais ou menos assim.

Viro e reviro suspirando
passo as noites inteiras sem sono,
tuas belezas vou contemplando
e penso em ti a noite toda até o dia.
Por ti não posso nunca repousar,
paz não tem este coração aflito.
Quer saber quando vou te deixar?
Quando a vida minha morrer e acabar. *

Quer saber quando eu vou te deixar? Quando a minha vida morrer e acabar...

Foi um grande gesto, uma paquera sutil, tradicional, banal se quiserem, mas refinada.

Quando acabou, eu gritei da varanda:

— E agora, o que eu faço? Se não me engano, para aceitar a corte devo acender a luz do quarto e, se não, entrar e apagar.

Ele não respondeu, mas eu entendi o que tinha que fazer. No corredor cruzei com meu pai (quase o arrasto!),

---

* Em dialeto siciliano: Mi votu e mi rivotu suspirannu/passu li notti 'nteri senza sonnu,/e li biddizzi tò vaju cuntimplannu/ti penzu di la notti fino a jornu./Pi tia non pozzu n'ura ripusari,/paci non havi chiù st'afflittu cori./Lu vò sapiri quannu t'aju a lassari?/Quannu la vita mia finisci e mori. (N. da T.)

que perguntou curioso quem era aquele sujeito cantando lá embaixo. Rindo alto, respondi que eu também não sabia.

Desci correndo pelas escadas assim mesmo como estava, de *short* e camiseta. Abri o portão e fiquei parada. Ir ao encontro dele e abraçá-lo ou sorrir feliz e agradecer com um aperto de mão? Fiquei parada no portão e ele entendeu que eu não me aproximaria se não recebesse um sinal, e então decidiu por mim.

— Você parece uma pulguinha assustada... Desculpe se fui muito impetuoso, mas foi mais forte do que eu.

Ele me abraçou de mansinho e eu deixei que meus braços ficassem em seu devido lugar, não consegui imitar seu gesto...

— Melissa... Posso convidar você para jantar comigo?

Concordei com a cabeça e sorri, depois beijei-o no rosto e subi de volta.

— Quem era? — perguntou minha mãe, curiosíssima.

Dei de ombros:

— Ninguém, mãe, ninguém...

12h45 da noite

Falamos de nós, dissemos mais do que tínhamos imaginado dizer e ouvir. Ele tem 20 anos, estuda letras modernas, tem aquela expressão inteligente e viva que o torna tão fascinante. Eu o escutei com atenção, gosto de ouvi-lo falar. Sinto um estremecimento na garganta, no estômago, me sinto dobrada sobre mim mesma como a haste de uma flor, mas não despedaçada. Claudio é moderado, pacato, tranqüilizador. Disse que já conheceu o amor, mas que este tinha lhe fugido das mãos.

Passando um dedo na borda do copo, perguntou:

— E você? O que me conta de você?

Eu me abri, abri uma pequena espiral de luz que dissolveu a densa névoa que envolvia minha alma. Contei tudo de mim e das minhas histórias infelizes, mas nem toquei na minha vontade de descobrir e encontrar um sentimento verdadeiro.

Ele me olhou com olhos atentos, tristes, sérios e disse:

— Estou feliz por você ter me contado o seu passado. Reforça a idéia que eu fazia de você.

— Que idéia? — perguntei, com medo de que me acusasse de ser fácil demais.

— Que você é uma menina, desculpe, uma mulher que atravessou certas situações para chegar a ser o que é agora, para ter esse olhar que penetra tão fundo. Melissa, eu nunca encontrei uma mulher como você... Estou passando do sentimento de ternura afetuosa para um fascínio misterioso e irresistível. — Seu discurso era cortado por longos silêncios, durante os quais ele me oferecia os olhos e depois continuava.

Eu sorri e disse:

— Você ainda não me conhece bem para poder dizer isso. Só pode sentir um dos sentimentos que falou, ou nenhum.

— Certo — respondeu ele depois de ouvir com atenção —, mas eu quero tentar te conhecer, posso?

— Com certeza, pode! — respondi agarrando a mão dele apoiada na mesa.

Parecia um sonho, diário, um lindo sonho, sem fim.

1h20

Acabo de receber uma mensagem de Valerio dizendo que quer me ver. Mas agora até a lembrança dele é distante. Eu sei, bastaria fazer amor com o professor uma última vez para saber o que quero de verdade e o que Melissa é realmente, um monstro ou uma pessoa capaz de dar e receber amor.

10 de junho de 2002

Que ótimo, acabou a escola! Este ano os resultados foram meio decepcionantes, eu me esforcei pouco e meus professores pouco se preocuparam em me entender. De qualquer jeito, mereci passar de ano, e eles evitaram assim me destruir de uma vez por todas.

Hoje de tarde encontrei Valerio, ele pediu que fosse encontrá-lo no Bar Epoca. Fui correndo, pensando que aquela seria a ocasião para entender o que queria. Ao chegar, freei de repente, arrastando o pneu no asfalto e chamando a atenção de todo mundo. Valerio estava sentado sozinho numa mesa e observava meus movimentos sorrindo e sacudindo a cabeça. Tentei me conter, caminhando devagar e com uma expressão séria.

Fui até a mesa rebolando e, quando cheguei perto, ele falou:

— Loly, você viu como todo mundo ficou olhando quando você passou?

Sacudi a cabeça e respondi que não.

— Nem sempre retribuo os olhares.

Chegou um homem por trás de Valerio, de ar misterioso e um pouco carrancudo, e se apresentou dizendo se chamar Flavio. Olhei para ele examinando-o com atenção, mas ele parou o meu exame dizendo:

— A sua menininha tem olhos muito espertinhos e muito lindos para alguém da sua idade.

Não deixei que Valerio respondesse, tomei a palavra:

— Tem razão, Flavio. E então, vamos ser nós três ou tem mais alguém? — Eu miro a essencialidade, diário, não gosto de palavrinhas de circunstância e sorrisinhos quando o objetivo é um só.

Meio sem graça, Flavio olhou para Valerio, e ele falou:

— Ela é mimada, mas é melhor fazer o que ela diz.

— Viu, Melissa? — continuou Flavio —, eu e Valerio tínhamos a intenção de incluir você em uma noitada especial: ele me falou de você, a sua idade me deteve um pouco, mas depois de saber como você é... bom, eu cedi e estou curiosíssimo para vê-la em ação.

Eu disse simplesmente:

— Quantos anos você tem, Flavio?

Ele respondeu que tinha 35. Eu fiz que sim, acho que tinha mais, mas resolvi confiar.

— E quando seria essa noitada especial? — perguntei.

— Sábado que vem, às dez, em uma casa perto do mar. Eu virei buscar você, junto com Valerio, é claro...

— Se eu respondesse que sim — interrompi.

— Certo, se você respondesse que sim.

Alguns segundos de silêncio, e então perguntei:

— Devo vestir alguma coisa em particular?

— Basta que não se note muito a sua idade. Todos acham que você tem 18 — respondeu Flavio.

— Todos quem? Quantos são? — perguntei dirigindo-me a Valerio.

— Nem a gente sabe o número exato, mais ou menos cinco casais garantidos. Se vai vir mais, a gente ainda não sabe.

Resolvi participar: sinto muito por Claudio, mas eu não tenho certeza de que alguém como eu seja capaz de amá-lo, não acho que eu seja a pessoa que vai fazê-lo feliz.

15 de junho de 2002

Não, não sou eu a mulher que vai fazê-lo feliz. Eu não o mereço. O meu telefone continua a tocar com seus chamados e suas mensagens. Eu o estou abandonando, é isso. Não respondo, ignoro-o completamente. Ele vai acabar se cansando e buscando a felicidade em outro lugar. Mas então, por que sinto tanto medo?

17 de junho de 2002

Em silêncio, entre diálogos breves e esporádicos, fomos para o local onde estava marcado o encontro. Era uma casa fora da cidade, do outro lado da costa, onde os rochedos esfarelados viraram areia. O lugar era deserto e a casa meio escondida. Entramos por um alto portão de ferro e fui contando os automóveis parados na alameda: eram seis.

— Chegamos, caríssima. — Flavio me irrita demais com essas expressões dele... Quem disse que ele me conhece? Quem deu licença para ficar me chamando de querida, caríssima, pequena... Dá vontade de acabar com ele!

Quem abriu a porta foi uma mulher de uns 40 anos, fascinante e perfumada. Examinou-me de cima a baixo e deu um olhar de aprovação para Flavio, que sorriu de leve. Atravessamos um longo corredor em cujas paredes havia grandes quadros abstratos. Ao chegar à sala, fiquei completamente sem graça, pois dezenas de olhares voltaram-se para mim: a maioria era de homens, engravatados e distintos, alguns com uma máscara que cobria o rosto, mas a maior parte de rosto descoberto. Algumas mulheres se aproximaram e me fizeram perguntas às quais respondi com uma série de mentiras preparadas anteriormente com Valerio. O professor ficou do meu lado e sussurrou:

— Não vejo a hora de começar... quero te chupar toda e ficar dentro de você a noite inteira e depois ver você trepar com os outros.

De repente, pensei no sorriso de Claudio: ele nunca desejaria me ver na cama com outros.

Flavio me deu um copo com licor de uísque, que me fez lembrar de uns meses atrás... Fui até o piano pensando no modo como dispensei Roberto também, alguns dias antes. Eu ameacei contar tudo para a namorada dele, se ele não parasse de me ligar, e disse também que ele tinha que convencer os amigos a ficarem de boca fechada sobre mim. Funcionou, ele nunca mais apareceu!

A certa altura, um homem de cerca de 30 anos se aproximou, caminhando com passo leve, como se voasse: usava uns óculos redondos sobre dois grandes olhos azuis esverdeados num rosto marcado, mas bonito.

Olhou para mim, examinando-me atentamente, e depois falou:

— Oi, é você aquela de quem todos falam?

Eu olhei para ele curiosa e disse:

— Depende de quem falou... o que disseram exatamente?

— Bom... a gente sabe que você é muito jovem, e eu pessoalmente não acredito que já tenha feito 18 anos. E não porque não pareça, mas porque eu sinto isso... De qualquer jeito, disseram que já participou muitas vezes de noitadas como essa, mas só com homens...

Fiquei vermelha e quis aprofundar:

— Quem te disse isso?

— Ora, que importância tem, são boatos que circulam... você é mesmo uma cadelinha, hein? — sorriu.

Tentei ficar calma e entrar no jogo para não estragar tudo.

— Nunca gostei de esquemas. Aceitei fazer isso porque queria...

Ele me olhou sabendo muito bem que eu estava mentindo e afirmou:

— Esquemas sempre existem: tem gente cujo esquema é linear e ordenado, tem gente que é uma fantasia rococó...

— Então o meu é um misto... — falei, fascinada com a resposta dele.

Valerio se aproximou e pediu que eu fosse com ele para o sofá.

Fiz um gesto de cabeça para o homem e evitei me despedir porque no meio da noitada nos encontraríamos, quase com certeza, um dentro do outro.

No sofá estavam sentados um homem jovem todo musculoso e duas mulheres bem vulgares, com maquiagem viva e chamativa e cabeleiras de um louro platinado.

Eu e o professor estávamos bem no meio do grande sofá, e com a mão ele começou a acariciar-me o seio embaixo da camiseta, e eu fiquei cheia de vergonha e pudor.

— Ai, Valerio... Vamos começar logo nós dois?

— E por que não, você não gosta? — perguntou ele mordendo o lóbulo da minha orelha.

— Não, não mesmo... Ela está com a vontade estampada na cara — disse insolente o musculoso.

— E como é que você consegue ver? — perguntei com ar de desafio.

Ele não respondeu, só enfiou a mão por baixo da minha saia, entre as coxas, beijando-me com sofreguidão. Eu comecei a relaxar, aquela violência boba estava me arrastando de novo. Levantei um pouco a bunda para conseguir beijá-lo, e o professor aproveitou a oportunidade para acariciar minha bunda, primeiro devagar e suavemente, depois seus gestos foram pouco a pouco se transformando, tornando-se decididos e quentes. As pessoas ao redor já não existiam mais para mim, embora estivessem lá me olhando, esperando que algum dos dois homens que estavam ao meu lado me penetrasse. Enquanto o rapaz me beijava, uma das duas mulheres enlaçou seu tronco e beijou sua nuca. Lá pelas tantas, Valerio levantou minha saia: todos estavam admirando a minha bunda e o meu sexo abertos em cima de um sofá desconhecido, no meio de gente desconhecida. Eu estava com as costas arqueadas e me oferecia totalmente a ele, enquanto o sujeito em frente agarrava meus peitos e apertava forte.

— Hummm, cheirosa como um pêssego fresco — disse um homem que veio me cheirar. — Você é macia e lisa como um pêssego recém-lavado, fresco.

O jovem pêssego vai amadurecer e depois, primeiro, vai perder a cor, depois o sabor, depois sua casca ficará mole e escavada. No final, apodrecerá, e os vermes vão chupar toda a sua polpa.

Arregalei os olhos, meu rosto ficou vermelho, eu me virei num repente para o professor e disse:

— Vamos embora, não quero!

Aconteceu justamente no momento em que meu corpo estava se entregando... Pobre Flavio, pobre musculoso, pobres todos eles e pobre de mim. Deixei todos eles e eu também na mão, me recompus rapidamente e, com lágrimas nos olhos, saí correndo por um longo corredor, abri a porta de entrada e fui até o carro parado na alameda.

Tinha os vidros completamente embaçados por culpa da densa umidade que envolvia a casa e a mim também.

Durante o trajeto de volta, não houve uma palavra. Só quando cheguei embaixo do portão da minha casa é que falei:

— Você não me disse nada sobre a carta.

Muitos segundos de silêncio e depois apenas:

— Adeus, Lolita.

20 de junho
6h50

Apoiei os lábios no bocal e ouvi sua voz mal saída do sono.

— Quero viver você — sussurrei com um fio de voz.

24 de junho

Agora é noite, caro diário, e estou no terraço fora de casa observando o mar.

Está tudo tão calmo, quieto, suave; o calor atenua as ondas e sinto seu rumor distante, pacífico e delicado... A lua está um pouco escondida e parece me observar com um olhar de compaixão e indulgência.

Pergunto a ela o que devo fazer.

Ela me diz que é difícil extrair as incrustações do coração.

O meu coração... Eu não me lembrava que tinha um. Talvez nunca tenha sabido.

Uma cena comovente no cinema nunca me comoveu, uma canção intensa nunca me emocionou e no amor eu sempre acreditei pela metade, considerando que era impossível conhecê-lo de verdade. Mas eu nunca fui cínica, isso não. Simplesmente ninguém nunca me ensinou a expressar o amor que eu guardava dentro de mim, escondido, fechado para qualquer um. Mas ele estava em algum lugar, era só desentocá-lo... E eu procurei por ele projetando o meu desejo em um universo do qual o amor estava banido; e ninguém, ninguém mesmo, barrou minha passagem dizendo: "Não, menina, daqui não se pode passar."

E meu coração ficou trancafiado em uma cela gelada, e era perigoso destruí-la de um só golpe: o coração ficaria danificado para sempre.

Mas depois veio o sol, não esse sol siciliano que queima, que cospe fogo, que cria incêndios, mas um sol suave, discreto, generoso, que derrete o gelo devagar, evitando assim que a minha alma árida se inunde de repente.

No começo me pareceu que era obrigatório perguntar a ele quando é que a gente ia fazer amor, mas depois, no momento em que estava para perguntar, mordi os lábios. Ele entendeu que alguma coisa não andava bem e perguntou:

— O que houve, Melissa? — Ele me chama pelo meu nome, eu sou a pessoa, a essência, não o objeto e o corpo.

Sacudi a cabeça:

— Nada, Claudio, nada mesmo.

Ele pegou a minha mão e a apoiou em seu peito.

Tomei fôlego e balbuciei:

— Bem, eu estava me perguntando quando é que você ia querer fazer amor...

Ele ficou em silêncio e eu morta de vergonha, sentindo a cara pegar fogo.

— Não, Melissa; não, tesouro... Não sou eu quem vai decidir quando é que a gente vai transar, a gente vai resolver junto, se e quando. Mas vamos ser sempre eu e você, juntos. — Ele sorriu.

Eu olhava para ele estupefata e ele entendeu que meu olhar perdido era um pedido para que continuasse.

— Porque, olha só... quando duas pessoas se unem, é o ápice da espiritualidade, e isso só aqueles que amam alcançam. É como se um turbilhão envolvesse os corpos e então nenhum dos dois é mais ele mesmo, um está dentro do outro da forma mais íntima, mais interior, mais bonita.

Ainda mais espantada, perguntei o que ele queria dizer com aquilo.

— Que eu te amo, Melissa — respondeu ele.

Por que esse homem conhece tão bem aquilo que para mim parecia até poucos dias atrás impossível de encontrar? Por que a vida me reservou até agora só maldade, sujeira, brutalidade? Esse ser extraordinário pode me estender a mão e me tirar da cova estreita e malcheirosa onde me escondi amedrontada... Lua, você acha que ele consegue?

As incrustações são difíceis de se tirar do coração. Mas talvez ele possa pulsar tanto que acabe rompendo em mil pedacinhos a couraça que o prende.

30 de junho

Sinto os tornozelos e os pulsos ligados a uma corda invisível. Estou suspensa no ar e alguém lá embaixo puxa e grita com uma voz infernal, e outro alguém puxa lá de cima. Eu balanço e choro, às vezes toco as nuvens, outras vezes os vermes. Repito para mim mesma meu nome: Melissa, Melissa, Melissa... como uma palavra mágica capaz de me salvar. Agarro-me em mim mesma, estou grudada em mim.

7 de julho

Pintei de novo as paredes do meu quarto. Agora ele é azul-claro e em cima da escrivaninha não está mais o olhar lânguido de Marlene Dietrich, mas uma foto minha com os cabelos ao vento, observando tranqüila os barcos ancorados no porto: atrás de mim está Claudio, que me envolve a cintura, apoiando de leve os dedos na minha camiseta branca, e com o rosto inclinado contra o meu ombro, beijando-o. Ele não parece notar os barcos, parece mesmo perdido na contemplação de nós dois.

Uma vez batida a foto, ele sussurrou no meu ouvido:

— Melissa, eu te amo.

Então apoiei meu rosto no dele, respirei forte para saborear o momento e virei para ele. Peguei seu rosto em minhas mãos, beijei-o com uma delicadeza que antes me era desconhecida e murmurei:

— Eu também te amo, Claudio...

Um estremecimento e um calor febril percorreram meu corpo até que me abandonei em seus braços e ele me apertou forte, beijando-me com uma paixão que não era desejo de sexo, mas de outra coisa, de amor.

Chorei tanto, tanto, como nunca tinha feito na frente de ninguém.

— Me ajuda, meu amor, por favor — implorei com força.

— Eu estou aqui para você, estou aqui só para você... — disse ele me abraçando como nenhum homem nunca tinha me abraçando.

13 de julho

Dormimos na praia abraçados um ao outro. Nos esquentamos em nossos próprios braços: sua nobreza de espírito e seu respeito me fazem tremer de inveja. Será que um dia vou conseguir retribuir toda essa beleza?

24 de julho

Medo, muito medo.

30 de julho

Eu fujo e ele me pega de volta. E é tão bom sentir suas mãos que me apertam sem me oprimir... Choro com freqüência, e cada vez que choro ele me segura juntinho dele, sente o perfume dos meus cabelos e eu apóio meu rosto em seu peito. A tentação é de fugir e me jogar de novo no abismo, tornar a entrar no túnel e não sair nunca mais. Mas seus braços me sustentam, eu confio neles e ainda posso me salvar.

12 de agosto de 2002

O desejo dele é forte e vibrante, não posso ficar sem a sua presença. Ele me abraça e me pergunta de quem eu sou.

— Sua — respondo —, completamente sua.

Ele me olha bem nos olhos e me diz:

— Minha menina, não se machuque, nunca mais, por favor. Você me machucaria muito também.

— Eu nunca vou te machucar — digo eu.

— Você não deve fazer isso por mim, mas por você mesma, antes de qualquer outra coisa. Você é uma flor, não deixe que a pisem de novo.

E ele me beija, roçando de leve os meus lábios, e me enche de amor.

Sorrio, estou feliz. Ele me diz:

— Olha, agora eu preciso te beijar, tenho que roubar esse sorriso e estampá-lo para sempre nos meus lábios. Você me deixa louco, é um anjo, uma princesa, queria passar a noite toda te amando.

Em uma cama branca, nossos corpos aderem perfeitamente um ao outro, sua pele e a minha se unem e nos tornamos, juntos, doçura e força; nos olhamos nos olhos enquanto ele desliza dentro de mim devagarzinho, sem me machucar, porque diz que meu corpo não deve ser violentado, só amado. Eu o aperto com os braços e as pernas, seus suspiros juntam-se aos meus, seus dedos entrelaçam-se nos meus e seu prazer se confunde inexoravelmente com o meu.

Adormeço em cima do seu peito, meus longos cabelos cobrem seu rosto, mas ele gosta e me beija milhões de vezes na testa.

— Promete... promete uma coisa: a gente nunca vai se perder, promete — murmuro.

Mais silêncio, ele acaricia minhas costas e sinto arrepios irresistíveis, e ele entra de novo dentro de mim enquanto eu empurro os quadris me colando nele.

E quando me movimento, ele diz baixinho:

— Tem duas condições para você não me perder e eu não perder você. Você não pode se sentir prisioneira, nem de mim, nem do meu amor, do meu afeto, de nada. Você é um anjo que precisa voar livre, nunca vai poder permitir que eu seja o único objetivo da sua vida. Você vai ser uma grande mulher, e já é agora.

Minha voz despedaçada de prazer pergunta qual é a segunda condição.

— Nunca trair você mesma, porque se fizer isso vai se machucar, mas vai machucar a mim também. Eu te amo e vou te amar mesmo quando nossos caminhos se dividirem.

Nossos prazeres se fundem e não posso evitar apertar forte o meu Amor, não deixá-lo nunca mais, nunca.

Entregue, volto a dormir na cama dele, a noite passa e a manhã me acorda com um sol quente e luminoso. No travesseiro, um bilhete dele:

Que você possa encontrar na sua vida a mais alta, plena e perfeita felicidade, maravilhosa criatura. E que eu possa fazer parte disso com você, enquanto você quiser. Porque... é bom que saiba desde agora: eu sempre vou querer, mesmo quando você não se virar mais para me olhar. Fui comprar café da manhã para você, volto logo.

Só com um olho aberto, observo o sol, os sons chegam suaves aos meus ouvidos. Os barcos dos pescadores estão começando a atracar depois de uma noite no mar. Uma viagem no desconhecido. Uma lágrima escorre pelo meu rosto. Sorrio quando sua mão roça as minhas costas nuas e ele me beija a nuca. Olho para ele. Olho e entendo, agora eu sei.

Concluí minha viagem dentro do bosque, consegui escapar da torre do orco, das garras do anjo tentador e de seus diabos, fugi do monstro andrógino. E acabei no castelo do príncipe árabe, que esperou por mim sentado em almofadas macias e aveludadas. Me fez despir as minhas vestes gastas e me deu roupas de princesa. Chamou as criadas e mandou que me penteassem, depois beijou-me na testa e disse que ia me olhar enquanto eu dormia. Depois, uma noite, fizemos amor, e quando voltei para casa vi meus cabelos ainda brilhantes e a maquiagem intacta. Uma princesa, como minha mãe sempre disse, tão linda que até os sonhos querem roubá-la.

Este livro foi impresso na
LIS GRÁFICA E EDITORA LTDA.
Rua Felício Antonio Alves, 370 – Jd. Triunfo – Bonsucesso
CEP 07175-450 – Guarulhos – SP – Fone: (011) 6436-1000
Fax.: (011) 6436-1538 – E-Mail: lisgraf@uninet.com.br